Erbarmungslose *Stiere*

In der Reihe Eichborn. *Astrokrimis*
sind 12 Bände erschienen:

Erbarmungslose *Stiere*

Mit Geschichten von:
Andrew Vachss
Dagmar Scharsich
Marion Schwarzwälder
Dietrich Schwanitz
Jerome Charyn
Maeve Carels
Astrid Paprotta

Eichborn.

Die Reihe Eichborn. *Astrokrimis*
wird herausgegeben von:

Thea Dorn
Uta Glaubitz und
Lisa Kuppler

Gesamtlektorat: Oliver Thomas Domzalski

Die Deutsche Bibliothek – CIP-Einheitsaufnahme

Erbarmungslose Stiere / Hrsg.: Thea Dorn. – Frankfurt am Main :
Eichborn, 2000
(Eichborn Astrokrimis)
ISBN 3-8218-0793-8

© Eichborn Verlag AG, Frankfurt am Main, März 2000
Für Jerome Charyns Geschichte
»Das Auge Gottes« (*»Under the Eye of God«*) © Jerome Charyn
Für Andrew Vachss' Geschichte
»Die Macht des Mondes« *(»Pull Of The Moon«)*
© 1999 Andrew Vachss. All rights reserved.

Umschlaggestaltung: Moni Port unter Verwendung eines Gemäldes
von Peter Paul Rubens »Der Raub der Europa« (Kopie nach einem
Gemälde von Tizian; Museo del Prado, Madrid)
© Archiv für Kunst und Geschichte (AKG), Berlin
Satz: Fuldaer Verlagsagentur, Fulda
Druck und Bindung: Milanostampa, Italien
ISBN 3-8218-0793-8

Verlagsverzeichnis schickt gern:
Eichborn Verlag, Kaiserstr. 66, 60329 Frankfurt
www.eichborn.de

Inhaltsverzeichnis

Andrew Vachss *Die Macht des Mondes*

»Du bist 'n Stier«, sagte Joleen, »'n echter Stier.«

»Und du bist 'ne faule Schlampe mit 'nem fetten Arsch«, knurrte ich. »Warum machst du mir nich' zur Abwechslung mal Frühstück, statt hier rumzuquasseln?«

»Schätzchen, das ist wichtig. Daß du was nicht kapierst, heißt noch lange nicht, daß es das nich' gibt. Guck mal hier«, sie deutete mit einem langen roten Fingernagel. »Du bist am 9. Mai 1959 geboren. Guck dir die Zahlen an: 5-9-59. Das ist doppelt.«

»Doppelt was denn?« Mir ging die Geduld aus, und ich konnte mich nur noch mit großer Mühe beherrschen. Kontrolle und Selbstbeherrschung sind mir das wichtigste auf der Welt. Schließlich bin ich Profi.

»Dein Sternzeichen ist Stier. Das heißt, du bist zwischen dem 21. April und dem 20. Mai geboren. Der 9. Mai ist genau in der Mitte. Und die 59, das ist wie noch mal fünf und neun, verstehste?«

Joleen war mal eine echte Schönheit. Aber seit sie nicht mehr im Club tanzt und zu mir gezogen ist, läßt sie sich gehen. Wir sehen alle im Dunkeln besser aus, glaube ich.

»Ich hab immer gewußt, daß du nich' viel im Kopf hast«, sagte ich. »Aber mir war nich' klar, daß du verrückt bist.«

»Ich bin nich' verrückt«, sagte sie, stand auf und ging

zum Kühlschrank. Endlich. »Astrologie ist was Wichtiges. Hast du gewußt, daß der menschliche Körper zu 98 Prozent aus Wasser ist?«

»Deiner aber nich'.«

»Noch ein Wort über meinen dicken Hintern, und das war's, Mister. Dann kannste dir dein Frühstück selber machen.«

»Sei nich' sauer, Süße. Ich mach doch nur Spaß. Warum erzählste nich' noch 'n bißchen von dem Psychokram, während du mein Frühstück fertigmachst?«

»Das ist doch kein Psychokram«, zischte sie. Jetzt klang sie ein bißchen ungeduldig. Gut. Eins hab ich in meinem Job gelernt: Wenn der andere anfängt, die Fassung zu verlieren, dann kommt für mich mehr davon rüber. Als gäbe es auf der ganzen Welt nur einen ganz bestimmten Vorrat an Selbstbeherrschung und Kontrolle, und der wird nicht mehr. Der wird immer nur anders verteilt, das ist alles. Und er wird nie gerecht verteilt.

»Also gut.« Ich lehnte mich zurück und steckte mir eine Zigarette an. »Wenn ich keine Ahnung hab, dann erklär's mir eben.« Das funktioniert immer.

Und tatsächlich fing sie an zu schnattern wie eine verdammte Elster. »Also, hab ich ja gerade gesagt, der Mensch ist fast nur aus Wasser. Wie das Meer. Das Meer hat Ebbe und Flut, stimmt's? Es steigt und fällt. Und zwar je nachdem, wie der Mond ist. Während einer Mondphase ist also ...«

»Moment mal«, unterbrach ich sie. »Hier gibt's weit und breit kein Meer, Joleen.«

»Aber den Mond, Schätzchen. Und der Mond hat die Kraft, verstehste? Der Mond bewegt das Wasser, und in uns ist soviel Wasser, daß ...«

»Logisch«, antwortete ich und klang immer noch verbindlich. »Aber es ist schließlich immer derselbe Mond, oder? Warum soll der verschiedene Leute verschieden im Griff haben?«

»Darum geht's doch gerade.« Sie lächelte, drehte sich um, die Hände in die Hüften gestützt. Mir fiel auf, daß ihre Hüften breiter geworden waren. Ist schließlich mein Job, daß mir Sachen auffallen.

»Wovon redest du eigentlich?« fragte ich sie, immer noch nett und freundlich.

»Der Tag, an dem du geboren bist – sogar die Uhrzeit – bewirkt, daß du anders auf den Mond reagierst, Tracy. Das Wasser in deinem Körper entsteht in der ... entsteht, wenn du in deiner Mutter wächst, wenn sie schwanger ist. Deshalb ist in dem Augenblick, in dem du rauskommst, alles entschieden für dich, dein Schicksal.«

»Schicksal? Meinst du, egal, was einer macht, diese Astrologiekiste kontrolliert eigentlich alles?«

»Nein, nich' unter Kontrolle. Nich' so, daß du nix mehr entscheiden kannst. Die Sterne schieben dich irgendwie in eine Richtung, denk ich. Und sie sagen viel über deine Persönlichkeit aus. Aber sie sind nich' schuld, daß du was tust oder nich'.«

Mir fiel auf, daß sie immer noch kein Frühstück machte, aber ich sagte nichts. Ich bin jetzt seit fast vier Jahren mit

Joleen zusammen, und ab und an sagt sie was ganz Nützliches. Ein Profi weiß immer, wann er den Mund halten und den anderen reden lassen muß.

»Also, ich bin ein ... Stier, sagst du?«

»Ja, Schätzchen.«

»Und was bist du?«

»Naja, ich bin am 18. Februar geboren. Also bin ich ein Wassermann, aber fast schon im Übergang zum Fisch, also hab ich von beiden was ...«

Mir fiel auf, daß sie nicht das Jahr sagte, in dem sie geboren ist, aber ich fragte nicht nach. »Aha, und ich bin nich' im ... Übergang, was?«

»Stimmt, Schätzchen. Du bist 'n echter Stier, das sag ich doch.«

»War das der Spruch, mit dem dich die Typen immer auf der Bühne angemacht haben? ›He, Puppe, was ist dein Sternzeichen?‹« lachte ich sie aus. Ich wußte, daß ich so mehr aus ihr rauskriegen würde.

»Das einzige, was diese Typen von mir wissen wollten, war meine BH-Größe«, zischte Joleen. »Die ›Was ist dein Sternzeichen?‹-Masche zeigt doch nur, ob Leute irgendwie zusammenpassen, verstehste?«

»Klar. Aber vielleicht ist das alles ja Blödsinn ...?«

»Ich hab dir doch erklärt, daß es das nich' ist. Und außerdem, wenn du das Sternzeichen von jemand kennst, dann weißte auch andere Sachen von ihm.«

»Ach ja. Und was weißt du von mir, bitte schön?«

»Ich weiß, daß du immer deinen Spaß haben willst.«

»Wir haben uns in 'nem Stripperclub getroffen, Joleen, was meinste wohl, warum ich da war?«

»Ich weiß, warum. Aber das meine ich nich'. Stier ist 'n Erdzeichen. Einem Stier ist sein Körper sehr wichtig. Aber er ist auch ein guter Arbeiter. Sehr gründlich. Und ehrgeizig. Genau wie du, Tracy.«

»Viele Leute sind so.«

»Klar. Stiere haben 'ne Menge gute Seiten. Aber auch 'n paar schlechte.«

»Was denn zum Beispiel?«

»Naja, ein Stier kann sehr egoistisch sein, ziemlich raffiniert. Besonders, wenn es um sein Vergnügen geht. Und wenn ihm jemand quer kommt, kann er sehr wütend werden.«

»Das beweist doch nur, daß das alles Schwachsinn ist. Schließlich kommst du Schlampe mir dauernd quer, und ich hab noch nie versucht, dir ein bißchen Verstand einzuprügeln.«

»Ein Stier hat 'n gutes Gespür«, sagte sie ganz ruhig.

»Was verdammt noch mal soll das heißen?«

»Daß du ganz genau weißt, wenn du mir je eine runterhaust, mußt du mich umbringen, Mister.«

»Laß gut sein, ja? Ich hab doch nur Spaß gemacht. Du weißt, daß ich so was nich' mache, oder?«

»Stiere sind sehr zuverlässig. Und sie können sehr treu sein. Das sind die zwei Sachen, die ich dir gesagt habe, als wir uns getroffen haben, weißte noch? Wenn du mich jemals schlägst oder betrügst, dann ist Schluß.«

»Ja, ja, ja. Das hab ich schon kapiert. Hör mal, machst du mir jetzt Frühstück, oder was?«

»Was liest 'n du da, Tracy?« fragte Rogers und schaute mir über die Schulter.

»Tabellen«, sagte ich.

»Tabellen? Das sieht aber nich' aus wie ...«

»Astrologische Tabellen.«

»Du meinst ... mit Sternen und so?«

»Ja.«

»Was? Glaubst du diesen Scheiß etwa?«

»Scheiß? Kennste dich damit aus?« fragte ich. »Nein«, sagte ich und blickte in sein leeres Gesicht. »Hab ich mir gedacht. Was meinst du eigentlich, woher das Wort ›mondsüchtig‹ kommt? Das kommt vom Mond, von der Macht, die der Mond über manche Leute hat ... die ist so groß, da werden die verrückt.«

»Ich hab nie ...«

»Hör mal«, fiel ich ihm ins Wort. »Hast du schon mal gehört, wie jemand ›alle Jubeljahre mal‹ gesagt hat?«

»Na klar.«

»Und weißte, was das heißt?«

»Also ... nee. Nich' genau.«

»Alle achtundzwanzig Tage ist Vollmond. Wenn du mir nich' glaubst, frag deine Frau, die weiß das. Und alle Jubeljahre mal ist 'n alter Ausdruck für was ganz Seltenes, kapiert? Nämlich für den zweiten Vollmond im selben Monat. Das ist die Wahrheit. Und der nächste kommt Ende dieses Monats.«

»In echt?«

»Am 31. März 1999, Rogers. Da kommt der nächste Vollmond. Merk dir das. Ich beschäftige mich schon ganz lange damit. In dieser Nacht drehen die Verrückten durch. Irgendwas wird passieren.«

»Ja, kann ja sein. Aber wenn ich mich mit was beschäftigen würde, dann wär's das verdammte Examen zum Sergeant. Ehrlich, ich weiß nich', wie du das gleich beim ersten Anlauf hingekriegt hast, Tracy.«

»Das ist alles 'ne Willensfrage«, erklärte ich ihm. »Wenn du was wirklich willst, mußte auch alles dafür tun.«

»Es ist soweit, Tracy«. Der Boß redete mit seiner Bulldoggenstimme. Wegen all den Presseleuten. »Bring ihn her.«

Ich hing im Streifenwagen am Funk. »Wir sind in knapp fünfzehn Minuten da, Sir«, versprach ich.

»Ich warte vorm Präsidium. Und Tracy ...«

»Ja, Boß?«

»Dieser Fall ist 'n Karrieresprung, mein Sohn. Ich werd nich' vergessen, wer ihn gelöst hat.«

»Danke, Boß.«

Ich hängte das Mikro wieder ein und schaute über die Schulter in den Käfig hinten im Streifenwagen. Wallace John Loomis saß drin, die Hände hinter dem breiten Rücken gefesselt, Dreitagestoppeln im aknenarbigen Gesicht, stumpfe Augen schauten geradeaus, als sähen sie einen der Zeichentrickfilme im Fernsehen, die er so liebte.

»Meinste, er kann sich da rauswinden? Kriegt 'n NSU und wandert in die Klapse?« fragte mich der junge Polizist mit dem glatten Gesicht, der am Steuer saß. Er war erst seit etwa einem Jahr dabei und noch ganz verliebt in das Copkauderwelsch.

»Nicht schuldig wegen Unzurechnungsfähigkeit? Ausgeschlossen, Kleiner. Der alte Wallace ist nich' verrückt, er ist bloß nich' besonders helle. Das ist alles. Er ist einfach nur langsam.«

»Aber ist das nich' dasselbe wie ...?«

»Nee. Weißt du noch, Homer Sistrunk? Der hatte den IQ von 'ner Topfpflanze, war aber so schlau, daß er die alte Frau vergewaltigen und dann umbringen konnte, stimmt's? In diesem Land werden Idioten gegrillt, Junge. Und in einem Fall wie diesem ...«

Alle erwarteten uns auf dem Parkplatz. Vier Uhr nachmittags, genau die richtige Zeit für die Abendnachrichten. Ist besser, wenn das Fernsehen einen Vorsprung hat, sagt der Boß immer. Wirkt einfach dramatischer. Außerdem lesen die Leute nicht mehr so gründlich wie früher – die Zeitungen kriegen die Meldung noch früh genug für die Morgenausgabe.

Ich sah den leuchtend gelben Übertragungswagen von *Channel 29* genau vor den Stufen zum Präsidium, die blonde Hälfte des Sprecherteams stand schon im Scheinwerferlicht bereit, ein schnurloses Mikro in der Hand. Die Printmedien waren auch da – ich erkannte den rothaarigen

Mann im grauen Trenchcoat vom *Herald Dispatch*. Eine Phalanx uniformierter Polizisten hielt die Menge hinter Absperrbalken zurück.

Der Junge fuhr den Streifenwagen so dicht ran, wie er nur konnte. Ich stieg aus, gab Loomis ein Zeichen, legte meine Hand leicht auf seinen Kopf, damit er sich beim Aussteigen nicht weh tat.

Dann kam das Spießrutenlaufen. Vorn Loomis, ich dicht hinter ihm, meine Rechte fest um seinen linken Oberarm. Die Reporter schrien ihm Fragen zu.

»Haben Sie Mary Jo umgebracht?«

»Werden Sie ein Geständnis ablegen?«

»War noch jemand daran beteiligt?«

Aber Loomis sagte kein Wort, starrte geradeaus, setzte einen Fuß vor den anderen, bewegte sich langsam wie immer.

Nachdem wir ihn in eine der Einzelzellen gesperrt hatten, ging ich raus. Der Boß redete mit der Presse, erzählte, daß ich die Turnhose des kleinen Mädchens in einer Hütte hinter dem baufälligen Drecksloch gefunden hatte, in dem Loomis ganz allein lebte. Das kleine Mädchen war in der Nacht vom 31. März verschwunden.

»Gute altmodische Polizeiarbeit«, sagte der Boß. »So löst man diese Fälle. Nicht durch Computer, nicht durch diese Täterprofile vom FBI, sondern mit klassischen Ermittlungsmethoden. Und ich kann mit Stolz sagen, daß wir einen der besten Ermittler haben, die es gibt.«

Er machte eine Handbewegung, und ich stellte mich neben ihn auf die Stufen. »Ich habe jetzt keine Zeit, um Ihre Fragen zu beantworten«, erklärte ich. »Der Verdächtige hat angedeutet, daß er eine Aussage machen will und ich ...«

»Hat der Vollmondmörder denn keinen Anwalt verlangt?« fragte ein Schlauberger von der Presse.

»Nein, hat er nicht«, antwortete ich gelassen. »Wir hatten bereits ein ausführliches Gespräch, kurz nachdem ich ihn festgenommen habe. Ich glaube, sein Gewissen ... Ich sollte zu diesem Zeitpunkt nichts weiter sagen«, brach ich ab. »Sprechen Sie mit meinem Vorgesetzten. Er hat das Kommando. Ich hab noch zu tun.«

Ich blieb die ganze Nacht bei Loomis. Nur er und ich in der Verhörzelle. Loomis redet nicht viel. Verdammt, er *kann* kaum reden. Eigentlich nur brummeln und grunzen. Aber er mag gebratenes Hühnchen – das habe ich rausgekriegt. Ich holte einen ganzen Topf voll Hühnchen, für ihn ganz allein, dazu eine doppelte Portion Weißkohlsalat und Kartoffelbrei. Ein Sechserpack Bier und einen tragbaren Fernseher mit Video, damit er Zeichentrickfilme sehen konnte.

Wir rauchten bis vier Uhr früh drei Päckchen Zigaretten weg. Niemand kam auch nur in unsere Nähe, man ließ mich meine Arbeit machen. Als Loomis schließlich eingeschlafen war, deckte ich ihn zu.

Dann holte ich den Boß.

Es war fast Mittag, bis wir soweit waren. Diesmal waren Journalisten aus dem ganzen Land da. Es hatte sich rumgesprochen – der Vollmondmörder würde uns zum Ort des Verbrechens führen.

Loomis sah ganz gut aus. Ich hatte dafür gesorgt, daß er geduscht und rasiert war, und einer der Jungs hatte ein paar Klamotten besorgt, die ihm paßten.

Ich ging voran zu dem Ford Explorer, den wir für Fahrten ins Hinterland nehmen. Man braucht Vierradantrieb in manchen Gegenden, sogar im Sommer. Loomis saß neben mir auf dem Vordersitz. Er trug Handschellen, und ich hatte die Türen verriegelt, es war also kein Risiko.

Wir gaben der Presse eine halbe Stunde Zeit, um alles aufzubauen, dann gingen wir los; Loomis und ich so dicht nebeneinander, daß ich ihn atmen hörte. Die anderen Jungs wichen zurück, ließen uns viel Platz – sie wollten nichts tun, was ihn vielleicht durcheinanderbringen könnte. Ab und an beugte ich mich zu ihm hinüber, und er sagte etwas zu mir.

Der Boden war so hart und trocken, daß nicht mal der Explorer Spuren hinterlassen hatte – man sah nicht, wann hier das letzte Mal jemand gefahren war.

Ich redete weiter mit Loomis. Die Kameras hielten Distanz, auch die gierigsten Presseleute wollten diesen einen Moment nicht verderben, wo wir Mary Jo fanden – wenn sie noch am Leben war.

Wir gingen sehr lange. Schließlich kamen wir zu einer

alten Hütte, die so verfallen war, daß nur noch drei Wände standen. Ich flüsterte Loomis etwas zu. Er deutete auf die Hütte.

Ich senkte den Kopf. Die Spurensicherung kam. Loomis starrte dumpf ins Leere. Es hatte lange gedauert, bis er verstand, wohin er deuten sollte.

Genau dorthin, wo ich Mary Jos Leiche vergraben hatte.

Aus dem Amerikanischen von Doris Engelke

Dagmar Scharsich *Hundsnächte*

Heute ist Vollmond. Das ist keine gute Nacht. Für niemanden. Und für mich schon gar nicht, denn der Mond steht im Stier.

Ich habe Ischias und Schmerzen in meinen Beinen, weil sogar meine alten Knochen spüren, wie dieser Vollmond mein Sternbild beschleicht.

Einen Wunsch habe ich jedesmal, wenn ich merke, der Ischias naht. Also: Wenn schon der Mond in meinem Sternbild steht, dann doch bitte mit der Sonne gemeinsam. Das wäre dann Neumond, und da geht es mir immer gut. Dann tut mir nichts weh, und ich fühle mich so stark und jung, wie ich vor zehn Jahren das letzte Mal war. Weil die Sonne alles, was an mir gut ist, verstärkt. Ich werde ruhig und sanftmütig und sinnlich, und von morgens bis abends will ich immer nur eines: Ich will essen! Ich will genießen und schlemmen, Bratwurst und Sauerbraten, Kalbsbries und Strammen Max und gebratenes Lamm und Klopse und Frikassee. Was diese Herrlichkeiten angeht, bin ich ganz genauso wie meine schöne Chefin. Das geht so, schon an normalen Tagen: Wenn Gustav, der dürre Mann meiner schönen Chefin, aus der Küche ruft: »Marlene, das Essen ist fertig«, dann rennen wir beide los in die Küche und stürzen uns auf die vollen Teller und sind glücklich und zufrieden. Und zwar restlos!

19

Das hat sicher damit zu tun, daß wir beide Stiere sind, und die haben immer einen unbändigen Hunger. Und noch viel mehr Hunger bei Neumond. So sehr, daß sich Gustav beschwert, daß wir für die Gäste nichts übriglassen von seinem Essen. Na ja, es ist eben Neumond, und uns schmeckt es, und leider leider sehen wir beide mittlerweile auch danach aus.

Aber heute ist Vollmond, und da ist alles anders. Und in diesem Monat durchquert der Vollmond den Stier, und die Sonne steht im Skorpion, so weit weg, wie sie nur sein kann – und jetzt hat der Mond Kraft und stärkt meine schlechten Eigenschaften. Alle meine schlechten Eigenschaften, auch die allerschlimmsten, die ich so tief in mir vergraben habe – er wühlt sie heraus.

Meine Gedanken kreisen um sämtliche Katastrophen meines Lebens. Denn was auch immer mir schon bei Vollmond geschehen ist, kann auch heute passieren, so viel ist mal klar. Vielleicht muß ich mir einfach mal wieder sagen: Ruhig bleiben, Rocky! Warten wir es ab! So richtig schlimm kommt es heute möglicherweise gar nicht.

Über den Platz weht ein lauer Wind. Es ist der wärmste Oktober, an den ich mich erinnern kann. Eine Rückkehr des Sommers zur Unzeit; wie ein Tagtraum. Meine schöne Chefin hat die Stühle wieder hinaustragen lassen, die Lehrlinge haben die Tische gedeckt, und nun hocken die Gäste unter den blattlosen Linden am Straßenrand und trinken. Ich lehne mich zurück und gucke hoch in die Bäume.

Langsam wird der Himmel dunkler. Die ersten Sterne fangen an zu blinken. Über dem Dach von dem Haus auf der anderen Straßenseite schiebt sich langsam ein Leuchten den Himmel hinauf. Der Vollmond! Da kommt er! Gleich! Gleich geht er auf!

Ich spüre, wie die Luft sich auflädt. Die kleinen Kerzen in den Windlichtern auf den Tischen flackern unruhig. Unsere Gäste ballen die Hände zu Fäusten, wenn sie ihre Rotweingläser umfassen. Und die ganz Wilden fauchen sich an wie die Katzen am Denkmal, wenn sie sich um eine Wurstpelle streiten. Dabei ist der Mond noch nicht einmal richtig da.

Was für eine Nacht! Ich muß mich zusammenreißen, um nicht den Kopf in den Nacken zu werfen und loszuheulen.

»Aihhhh! Hehhh!« Nanu, was ist das denn? Ein spitzer Schrei aus der Küche? Ist das der dürre Gustav, der dort so grauenvoll brüllt? Es hört sich an wie ein heiseres Quieken, aber das Schwein, das es heute zum Abendbrot geben soll, kann ja wohl nicht mehr schreien. Das müßte doch längst in der Pfanne liegen und braten.

Dieser Gustav, wie er so durch die Küche tobt, stimmt mich langsam bedenklich. Gut, Gustav ist kein Stier, er ist nur ein Schütze. Das kann ja alles mal vorkommen. Schützen sind eben anders als Stiere. Nicht so ruhig, nicht so wunderbar sinnlich, nicht bedächtig. Das Problem vom dürren Gustav ist aber: Der ist immer am Rennen. Immer irgendwie auf der Jagd. Und dann rasen die Absätze von seinen Cowboystiefeln klack klack klack über die Kacheln vom Küchenboden. Und noch schnell an der Theke ein Bier zapfen und schnell in die Küche und einen Kuchen backen und schnell das Fleisch in den Ofen schieben. Und weil alles so fix gehen muß, stellt der immer den Ofen zu heiß.

Manchmal erinnert mich Gustav an diesen Schauspieler, bei dem ich vor ich weiß nicht wie vielen Jahren war. Der trug jedenfalls auch Tag und Nacht seine Cowboystiefel. Und ständig klack, klack, klack, klack, und immer am rennen. Seit dem Schauspieler weiß ich jedenfalls, wie diese spitzen Schuhe sich auf meiner Hinterbacke anfühlen und wie weit man fliegen kann nach einem Tritt mit diesen Stiefeln. Gut, egal, ich erinnere mich nicht, ob dieser Cowboy-Schauspieler auch so schlecht kochen konnte wie Gustav, aber der hatte eine Frau, die machte das saftigste Futter, das ich jemals bekommen habe. Und die war auch ziemlich still, wie meine schöne Chefin. Aber sie war eine Waage, und die passen ganz anders zu Schützen als meine schöne Chefin. Und das gleicht sich eben auch nicht dadurch aus, daß Gustav viel lauter schreien kann als dieser Schauspieler, sehr viel lauter, und daß er öfter schreit und daß er noch viel schneller ganz weit oben auf seiner Palme ist oder auf seinem Kaktus oder wohin auch immer es diese aufbrausenden Cowboys treibt. Irgendwann einmal hat jedenfalls dieser Schauspieler seine Waage so furchtbar angeschrien, und sie hat es ihm zum ersten Mal herzhaft zurückgegeben, und ich habe von ihm diesen Tritt in meinen damals noch zarten Hintern bekommen, und noch wäh-

rend ich im Steigflug war, hat er seine Pistole geholt und
die freundliche Waage erschossen. Das ist Jahre her, aber
ich kann mich genau erinnern: In jener Nacht war auch
Vollmond, und der Vollmond durchquerte den Schützen,
und ich hätte es wissen müssen. Und als ich hinterher jau-
lend unter seinen Mercedes kroch, ein Auto mit einer erschreckend soliden Bauweise, da war ich so jung und so
unerfahren, ich wußte nicht, daß ich doch etwas hätte tun
können. Es war eine Erfahrung, auf die ich lieber verzich-
tet hätte. Aber Erfahrungen macht man, man sucht sie sich
nicht aus.

Jedenfalls kann ich jetzt schon riechen, daß ich recht habe.
Natürlich ist wieder der Ofen zu heiß. Vielleicht kommt
das ja auch vom Vollmond, denn der Ofen riecht heute
noch heißer als sonst. Und genau wie gestern wird das
Fleisch wieder in der Bratenpfanne festbacken und oben
eine schwarze Kruste bekommen, und der dürre Gustav
wird sein scharfes Messer nehmen und die schwarze
Kruste heruntersäbeln und ein paar Löffel Salz über alles
streuen, um den Geschmack der Gäste zu betäuben. Und
mir wird es die Zunge zusammenrollen, wenn ich schon
wieder dieses Fleisch auf meinen Teller bekomme.

»Aihhh! Heheheh!« Schon wieder zwei Schreie von
Gustav. Seine hastigen Klack-klack-klack-Schritte rasen
durch die Küche, und jeder Schrei und jeder Schritt füllen
den Raum mit seiner Wut. Und nun muß ich auch noch an
sein Messer denken. Dieses riesige Fleischermesser, das der

dürre Gustav heute nachmittag über den Wetzstein zog, und daneben stand meine schöne Chefin, und ich saß zwischen ihren Füßen, und wir guckten beide zu der blinkenden Klinge hoch.

»Gustav, ich will dich nicht kritisieren.«

»Marlene, dann mach es auch nicht.«

»Es gab gestern ein paar Beschwerden.«

»Ach?«

»Der Schweinebraten schmeckte bitter. Und war auch ein bißchen versalzen.«

»Was?!«

»Ich sage ja nur, was die Gäste sagen.«

»Und du? Hast du mich verteidigt?«

»Aber das Fleisch war wirklich ... Es war etwas salzig.«

»Das Fleisch war etwas salzig?! Weißt du, was ich nicht verstehe? Es ist völlig unwichtig, wie dieses Fleisch geschmeckt hat. Wichtig ist, daß du mir vertraust. Du mußt daran glauben, daß ich alles richtig mache. Aber du kritisierst mich ständig. Dauernd läßt du mich im Stich!«

»Aber das mache ich doch nicht.«

»Doch! Ständig fällst du mir in den Rücken. Liebe ist das ja wohl nicht?!«

»Aber Gustav, so habe ich das nicht gemeint.«

»Marlene, ich habe es satt, wie du mich behandelst.«

»Gustav, schrei doch nicht, bitte. Nicht schon wieder. Nicht immer wieder.«

»Doch! Satt satt satt! Und ich hasse dich! Und ich schreie, wann ich will. Warum verstehst du mich nicht?«

Und dieser Gustav zog das Fleischermesser immer noch über den Wetzstein, und ich sah, wie der Blick meiner schönen Chefin an der glänzenden Klinge hängenblieb und dann wieder zum dürren Gustav glitt und dann wieder zum Messer zurück, hin und her, immer wieder. An jedem anderen Tag wäre sie einfach still aus der Küche gegangen. Aber nicht heute. Heute stand sie und guckte das Messer an und lauschte den Worten, die sie eben gehört hatte, und das konnte ich in ihrem Gesicht sehen: Es waren einfach ein paar Worte zu viel. Ein paar winzige Tropfen – und irgend etwas in ihr lief über. Das konnte ich fühlen, so wirklich und heftig, wie ich jetzt gerade den Geruch von viel zu heißem Schweinebraten wittere. Und als Gustav das Messer vom Wetzstein hob und seine Klinge in der Sonne drehte, da spürte ich plötzlich diese Stiche mitten in meinem pochenden Herzen. Ich bekam keine Luft mehr und fiel auf den Rücken und keuchte, und meine Chefin hörte auf, das Messer anzustarren und hob mich hoch und drückte mich an ihren Busen und trug mich hinaus aus der Küche.

»Wenn deine fette keuchende Töle noch mal in meine Küche kommt, gibt's einen Tritt!«

Danke, Gustav. Letzte Sätze klären Verhältnisse manchmal besser als lange Diskussionen.

Und draußen an der Theke konnte ich wieder atmen und winselte leise, und bereits da kam mir der Gedanke, ob das vielleicht irgendwie schon der Vollmond war, mitten am Nachmittag?

Der Mond schafft es, ganze Meere zum Aufsteigen und Abschwellen zu bringen, und das auch bei heller Sonne, warum sollte er also nicht Gustavs böse Worte in meiner Chefin überlaufen lassen? Und meinen Atem festhalten? Wer ahnt schon, was bei den Sternen alles möglich ist.

Inzwischen ist der Himmel ganz dunkel geworden, und die Sterne werden heller und immer heller. Und da kommt er nun wirklich, der Mond. Jetzt ist der Moment, wo er sich über dem Haus auf der anderen Straßenseite auf den Himmel hinauf schiebt. Mitten hinein in mein Sternbild.

So, und jetzt lege ich doch den Kopf in den Nacken und heule. Ein paar Gäste zucken zusammen und sehen unsicher zu mir herüber. Und ganz schnell kommt meine Chefin nach draußen und läßt ihren Blick über die vollbesetzten Tische schweifen, bis sie mich gefunden hat.

»Rocky, ruhig!«

Ist ja schon gut, ja, dann heule ich eben nicht. War ja nur dieser Vollmond. Meine Chefin winkt dem Kellner, und der geht an die Tische und fragt nach Bestellungen, und ganz schnell danach kommen die Lehrlinge und schleppen Tabletts mit Bier und mit Wein nach draußen. Und die Gäste schwenken die vollen Gläser und trinken, und ihre Stimmen werden wieder friedlicher. Und schon ist alles vorbei. Jetzt kehrt hier draußen endlich Ruhe ein.

Nur nicht in mir! Wenn doch heute nacht bitte bitte bitte Neumond wäre! Das ist nicht angenehm, wenn um dich herum alles still ist, aber in deinem Inneren kocht es, und du kannst dich nicht abkühlen. Das ist wie bei diesem Rockmusiker, bei dem ich vor ein paar Jahren war, das war ziemlich bald nach dem Schauspieler, und die Wohnung war sehr gemütlich, und das Essen war wunderbar. Jedenfalls hatte dieser Typ sich ganz nach oben gearbeitet und war Tag und Nacht unterwegs zu Konzerten, die sein Manager ihm besorgt hatte, und langsam wuchs meine Sorge, denn er fand überhaupt nie mehr die beschauliche Ruhe und Zeit für die Genüsse, die er wirklich gebraucht hätte um zu überleben. Schließlich war er Stier, und ich wußte, das konnte nicht lange gutgehen. Also mußte ich etwas unternehmen, der Gedanke kam mir in einer Vollmondnacht, und Manager leben ja öfter nicht lange, und der fuhr auch einen Mercedes, und da hatte ich nun keine Probleme mehr mit der soliden Bauweise, und auch nicht mit dem ekelhaften Geschmack der Bremsflüssigkeit, der sich schon nach dem ersten Biß auf meiner Zunge ausbreitete und noch tagelang anhielt. Dieser Geschmack ist bei jeder Art von Auto irgendwie ekelhaft, aber nie unerträglich. Gut, das gehört dann vielleicht doch nicht hierher zu diesem Vollmond, das sind alles ganz andere Geschichten. Und ich muß jetzt endlich zur Ruhe kommen. Sonst ... sonst ...

Meine Chefin steht immer noch zwischen den Tischen. Sie wringt ihr weißes Serviertuch zwischen den Händen und guckt hoch in den Himmel.

Ich habe mich schon oft gefragt, was wohl Menschen empfinden, die in den Himmel sehen. Ob sie darüber nachdenken, wieso wir erfahren können, wie wir wirklich sind, wenn wir wissen, unter welchen dieser blinkenden Sterne unser Leben begonnen hat? Ob Menschen manchmal in sich hineinhorchen und sich den Erfahrungen öffnen, die keiner von uns gemacht hat, die aber tief in uns drin stecken und auf die wir uns stützen können, wenn wir das hin und wieder brauchen? Menschen heben niemals ihr Gesicht und heulen hinauf in den Vollmond – bedeutet das, daß sie mehr oder daß sie weniger wissen als ich? Unsere Kommunikation miteinander beschränkt sich auf so wenige Zeichen und noch viel weniger Wörter. Das habe ich immer wieder bedauert in meinem langen Leben, und das bedauere ich auch jetzt.

Meine schöne Chefin knetet weiter an ihrer Serviette und sieht in die Runde, und unsere Blicke treffen sich. Und ich glaube, sie weiß, was jetzt diese eine große wichtige Sache in meinem Leben ist, auch wenn ich ihr das niemals sagen kann: Ich wünsche mir nichts sehnlicher, als daß sie glücklich ist.

So war das schon damals, als ich ihr zum ersten Mal begegnete. Ich kam aus der U-Bahn und lief über den Platz, am Denkmal vorbei. Ein kalter Wind pfiff um die Ecken der Häuser. Jemand öffnete gerade die Tür zum Restaurant, und ich rannte der Wärme nach, die mir entgegenkam. Zwischen vielen Beinen – Menschenbeinen, Tischbeinen und Stuhlbeinen – fand ich zielsicher den Weg zu einem warmen Heizkörper, und als ich spät in der Nacht wieder aufwachte, waren die meisten Beine verschwunden, und vor mir stand eine Frau mit einem Besen in der Hand und guckte herunter zu mir. Und diese Frau hatte eine sanfte Stimme und warme Hände und einen breiten Busen, der so weich war und so wunderbar duftete, daß ich gar nicht genug davon hören und spüren und riechen konnte. Da lief ich ihr zu.

Und obwohl ich es nicht mag, wenn irgend jemand mein Fell berührt oder meine Ohren bekrabbelt – in diesem Moment mußte ich mich von ihr kraulen lassen. Ich mußte meine Schnauze in ihre Hände drücken und mich an ihre Brüste schmiegen. Und als sie einen Teller mit einem richtigen riesigen Eisbein vor mich hinstellte, und als sie sich dann auch noch neben mich setzte und selber ein Eisbein verdrückte, das sogar noch größer war als meines – da war ich wehrlos. Und sagte mir: Bleib doch! Da bist du zwar wieder einmal ziemlich inkonsequent, und eigentlich weißt du, wie solche Beziehungen enden. Aber inkonsequent sind ja die meisten. Und wenn du jetzt hierbleibst, du mit deiner großen Lebenserfahrung, wirst du irgendwann feststellen, daß auch das einen Sinn hat.

Diese Nacht war eine typische Neumondnacht. Voller guter Energien, um neue Projekte in Angriff zu nehmen. Aber so eine Nacht ist heute eben nicht. Der Himmel ist dunkel. Die Sterne blinken. Und nun beginnt der Mond zu schwelen und zu glosen. Ich lege den Kopf in den Nacken und ein kleiner Jauler platzt aus meinem Maul wie eine

Seifenblase heraus. Sofort drehen sich wieder alle Gesichter zu mir herüber.

»Hast du Hunger, Rocky-Mäuschen?«

»He, komm mal her, Rocky! Süßer! Hier gibt's Häppchen.«

Ja doch, Rocky Flocky Locky wird euch den Hintern zeigen. Immer will einer von euch mit mir duzzi-duzzi machen, und dann vielleicht auch noch anfassen und meine Ohren kraulen. Wie ich solche Menschen hasse, die alles, was kleiner ist als sie selber, auch für blöder halten. Haben die denn gar keine Instinkte? Merkt denn keiner von denen, daß ich nachdenken muß?

Gut, dann schwenkt weiter eure Rotweingläser, ich bin ja schon still. Ich bin ein Stier, und der ist eben auch stur, und darum sehe ich jetzt einfach weiter in den Himmel und versuche ruhig zu werden. Und so bin ich der erste hier, der das Unglück hört. Klick klick klick, noch ist es weit entfernt, irgendwo auf der Treppe der U-Bahn. Aber es kommt langsam näher. Jetzt steigt es die Stufen hinauf. Ist oben auf der Straße. Läuft zum Denkmal hinüber. Streift ein Fahrrad. Ein paar Katzen kreischen und springen zur Seite. Jetzt überquert es den Platz und biegt in unsere Straße ein. Gleich muß es zu sehen sein. Schnell werfe ich einen Blick hinüber zu meiner schönen Chefin, aber die steht noch da, in den Anblick des Himmels versunken, und knetet still ihre weiße Serviette. Menschen hören eben alles viel später. Und können deshalb auch erst später reagieren. Aber ich höre besser. Ich könnte reagieren. Etwas machen. Jetzt gleich, sofort. Aber was?

Da, es nähert sich. Unaufhaltsam. Das mußt du doch hören, Chefin! Leise, ganz leise fange ich an zu bellen. Und die Chefin reißt ihren Blick aus dem Himmel und guckt zu mir herüber. Und raunzt mich nicht an und versucht nicht, mir das Maul zu verbieten – sie versteht mich und lauscht. Und jetzt sehe ich ihrem Gesicht an, daß sie es hört. Dieses klick klick klick hoher Absatzschuhe. So läuft nur die Dürre. Wie oft kam die eigentlich in den letzten Tagen? Ich weiß nicht, aber wenn ich könnte und wenn ich viel Mut hätte, würde ich Gustav danach fragen. Der würde sich bestimmt erinnern. Und da kommt sie, stakst über die Gehwegplatten, mit flotten Absätzen, klick klick klick klick, eine Beleidigung für meine Augen und meine Ohren. Und jetzt, das dachte ich mir, bleibt sie bei uns stehen und späht über die Tische und entdeckt wirklich noch einen freien Platz und scharrt den Stuhl über das Pflaster und setzt sich und winkt dem Kellner, und ich fange an zu knurren, um ihr zu sagen: Geh bloß wieder! Aber sie geht nicht, sie zeigt dem Kellner ihren nach oben gereckten Daumen, wie eine echte Stammkundin. Das wird ja wohl immer schöner. Und der Kellner versteht es, geht nach drinnen und holt ein Bier. Der dürre Gustav in seiner Küche hat fast so gute Ohren wie ich und steht sofort hinter dem Küchenfenster und guckt nach draußen. Und meine schöne Chefin steht da, steif wie ein Hundekuchen und knetet ihre Serviette. Aber sie guckt nicht diese Frau an, sie sieht zu mir. Mit einem Blick, der mir sagt: Rocky, wir beide verstehen uns. Das spornt mich an, und ich knurre noch lauter, manchen

Leuten muß man alles ein bißchen deutlicher sagen, und schließlich fange ich auch noch an zu bellen: Dich will keiner hier haben! Verschwinde!

Aber es ist ja schon alles zu spät. Klack klack klack knallen Gustavs Cowboystiefel über die Dielen vor der Theke. Der dürre Mann meiner Chefin knallt zur Türe heraus und nimmt dem Kellner das Bier ab, schreitet zu der Dürren hinüber und stellt das Bier vor sie hin. Sie strahlen sich an.

»Schön, daß du kommen konntest. Ich meine, daß Sie kommen konnten.«

»Aber ich komme doch gerne.«

»Schön. Freut mich. Eine schöne Nacht ist das heute.«

»Ja. Und ein schöner Mond.«

»Ja. Vollmond.«

»So richtig romantisch. Man könnte auf viele Gedanken kommen.«

»Tja, leider leider muß ich noch ein bißchen in der Küche stehen.«

»Das wird ja nicht für ewig sein.«

»Nein, wird es nicht. Wenn du ... wenn Sie wollen, bringe ich Ihnen nachher noch was zu essen?«

»Gerne. Sehr gerne.«

»Ich hoffe, es wird Ihnen schmecken.«

»Wenn Sie das gekocht haben. Da bin ich ganz sicher.«

Sie lächelt und zeigt dabei ihre scharfen weißen Zähne, und das sieht so gefährlich aus, daß ich mich nicht mehr beherrschen kann. Jetzt belle ich laut und energisch. Sie zuckt nicht mal ein bißchen zusammen.

»Ach, ist der niedlich. Ist das Ihr Hund?«

»Nee, zum Glück nicht. Der gehört meiner Frau.«

Das klingt ein bißchen wie: Sie müssen entschuldigen, Rocky ist genauso wie meine Frau. Genauso verfressen und genauso klein und so übergewichtig. Wenn ich so was schon höre! Ich kann mich gar nicht beruhigen. Mein Fell sträubt sich über den ganzen Rücken, und ich stelle den Schwanz auf und kann nicht mehr aufhören zu bellen und zu bellen.

»Rocky, halt die Klappe! Der ist schon den ganzen Tag so übellaunig. Ich werde ihn mal wegnehmen, sonst beißt er am Ende noch.«

»Aber der sieht nicht gefährlich aus. Komm mal her, Spatzl, laß dich mal streicheln!«

Nein, das kann doch alles nicht wahr sein! Und jetzt werde ich wirklich ärgerlich. In einer Nacht wie dieser kann ich mich schwer zurückhalten. Mach noch ein bißchen mehr duzzi-duzzi mit mir, dann werde ich dich fressen. Ungebraten.

»Rocky, komm sofort hierher!«

Nein! Nein, Gustav, das nun ganz bestimmt nicht. Und du mußt mich auch nicht von hier wegnehmen. Ich nehme mich schon selber weg. Ich stehe auf und gehe ein paar Schritte auf Gustav zu. Dann schlage ich einen Haken und laufe ganz dicht an ihrem Tisch vorbei, und als ich nahe bei ihrem Stuhl bin, hebe ich kurz das Bein. Aber nur andeutungsweise. Nur so aus Spaß. Damit sie mir noch einmal ihre scharfen Zahnreihen zeigt.

Es funktioniert wunderbar. Sie zeigt sie mir. Bleckt ihre Zähne und springt auf, und wenn sie ein Hund wäre, würde sie jetzt über mich herfallen und mir in mein Hinterteil beißen. Aber das darf sie nicht, weil sie eben kein Hund ist. Und ich laufe gemächlich zu meiner schönen Chefin hinüber und setze mich neben sie, und jetzt gucken wir beide zu, wie sich diese Frau wieder auf ihren Stuhl fallen läßt, und wie der dürre Gustav weiter um sie herumschleimt und sich vor ihr dreht und wendet wie ein Kotelett in der Pfanne, und diese Dürre beguckt seinen Bauch und sein Hinterteil von allen Seiten.

»Damit muß endlich mal Schluß sein!«, sagt meine Chefin leise. Sachte zieht der Geruch von verbranntem Schweinefleisch durch das offene Küchenfenster heraus auf die Straße, und ich bekomme eine Vorstellung davon, was ich heute zum Abendbrot bekommen werde und wonach es schmecken wird. Aber ein kurzer Blick zu meiner Chefin zeigt mir, daß sie mit keinem einzigen Gedanken an unser Abendbrot denkt. Sie hat sich ein wenig zurückgelehnt in den Schatten der Hauswand und guckt zu den beiden hinüber, und jetzt knetet sie keine Serviette mehr zwischen ihren Händen, jetzt hat sie eines dieser spitzen Steakmesser aus dem Besteckkorb genommen und sticht die Klinge ganz in Gedanken versunken immer wieder in ihre Handfläche. Und auf einmal spüre ich wieder diesen Stich in meinem Herzen, wie von einem frisch geschliffe-

nen Fleischermesser. Und mir fällt wieder der Mond ein,
der Vollmond, der genau im Stier steht, und ich denke etwas, was ich heute abend noch nicht gedacht habe: Chefin,
Chefin, was auch immer mit diesem Mann sein wird – heute abend soll gar nichts sein. Heute werden wir nichts
unternehmen. Nichts nichts nichts nichts. Wir nehmen uns
Zeit und sehen nach oben und versuchen herauszufinden,
was die Sterne uns sagen wollen, und beruhigen uns langsam. Und warten auf Neumond. Bitte. Und ich strecke
mich aus und lege mich quer über ihre Füße, und sie
kommt zu sich und guckt sich um, ob jemand sie mit dem
Steakmesser gesehen hat, und versteckt es hinter dem Rücken und legt es zurück.

Es kommt alles ganz anders. Die letzten Gäste sind längst
in der U-Bahn. Die Lehrlinge haben die Tische nach drinnen getragen, dann sind sie nach Hause gegangen. Meine
schöne Chefin hat sich die Schürze umgebunden und das
Restaurant ausgefegt und gewischt, und ich habe mich hinter die Theke gelegt und ein Stündchen geruht. Dann hat
meine Chefin nach mir gepfiffen, und wir sind in die Küche gegangen, und in der Küche spielte immer noch
Gustavs riesiger Ghettoblaster, und da standen die Stapel
von benutzten Tellern vor dem Spülbecken und die ver-
kohlte Bratenpfanne vor dem Backofen. Und wir haben
uns gar nichts daraus gemacht, wir haben einfach zwei Teller abgespült und unser Menü zusammengestellt. Gekoch-
tes Herz in Brühe, für jeden ein saftiges Eisbein, zwei

Scheibchen Sauerbraten und natürlich doch noch ein Stück von dem verkohlten Schwein. Dann hat meine schöne Chefin einen Tisch wieder nach draußen getragen und zwei Stühle. Auf den einen hat sie sich gesetzt und auf den anderen hat sie das große Fleischermesser gelegt, und ich habe mich neben ihre Füße gesetzt, und wir haben erst mal gegessen. Und als unsere Teller leer waren, und Gustav war immer noch nicht wieder da, haben wir Nachschlag genommen, und danach sind wir zu Käsetorte und Tiramisu übergegangen, und ich habe immer wieder hoch in den Himmel geguckt, denn der Mond war zwar weitergewandert, aber grundsätzlich geändert hatte sich nichts, und die Luft war immer noch aufgeladen, und ich war immer noch unruhig und angespannt. Und als wir beim Schokoladeneis waren, hörte ich Gustavs Klack-klack-klack-Schritte die U-Bahntreppe hinaufsteigen. Ich fing leise an zu knurren. Und meine schöne Chefin nickte und aß noch ein bißchen weiter und legte ihren Löffel zur Seite, und wir lauschten beide.

Hörten, wie er am Denkmal entlang ging, wie er die Fahrräder streifte, wie ein paar Katzen verschlafen kreischten, wie er den Platz überquerte und in die Straße einbog. – Und jetzt ist er da. Stellt sich vor unserem Tisch auf und guckt herunter auf meine Chefin.

Ich knurre leise.

»Rocky, bleib ruhig.«

Und Gustav steht einfach nur da und guckt zu uns herunter und pfeift ein Liedchen, ganz leise.

»Na, freßt ihr schon wieder, die fette Töle und du?«

Meine Chefin schweigt und strafft den Rücken und legt die Hand auf den freien Stuhl. Auf den Griff vom geschliffenen Fleischermesser.

»Keine Antwort ist auch eine. Kaut weiter, ich gehe dann mal die Küche aufräumen.«

Und er macht ein paar Schritte in Richtung Eingang und bleibt stehen und dreht sich zu ihr um. So als würde er auf ihren Widerspruch warten.

Die Stimme meiner Chefin ist ruhig und ganz leise.

»Gustav, wer ist diese Frau?«

»Marlene, ich dachte schon, du würdest nie danach fragen. Die ist niemand.«

»Und warum kommt sie dann jeden Abend?«

»Das geht dich nichts an.«

»Das geht mich schon etwas an, wenn du mit ihr nach Hause gehst. Du bist ja schließlich mein Mann.«

»Du glaubst doch nicht, daß ich darüber diskutieren werde. Ich brauche eine Frau, die mich liebt. Ich kann so nicht leben, mit deiner ständigen Ablehnung.«

»Gustav! Es reicht mir!«

»Dann diskutiere nicht. Behandle mich ordentlich. Lieb mich. Und jetzt laß mich anfangen, ich bin müde und will endlich nach Hause.«

Er dreht sich und geht hinein in die Küche, und wir hören das Wasser rauschen im Spülbecken, und dann hören wir die Teller klappern, und dann hören wir nichts mehr, dann dreht er das Radio laut.

Meine Chefin rückt die Teller zur Seite und umfaßt fest das Fleischermesser. Aber Chefin, so geht das nicht! Ich stehe auf. Springe auf den freien Stuhl und setze mich auf ihre Hand. Auf den Messergriff. So schwer und so resolut, wie ich es kann. Ich jaule, ich knurre, ich belle. Ich lecke ihre Hände und ihre Wangen. Ach Chefin, Chefin, bei aller Verehrung, die ich für Sie empfinde. Aber das hätten Sie sich doch selber denken können, daß das nicht gutgeht. Eine Stierin mit einem Schützen. Mit einem Jäger, dem es immer nur darum geht, neue Beute zu jagen. Dabei sind Stiere sinnlich und beharrlich, und vor allem sind sie treu, ich weiß, Chefin, sie sehnen sich nach Beständigkeit, sie wollen nichts als ihre Liebe zu ihm bewahren. Und darum ist es vollkommen unstierisch, was Sie da machen wollen, Chefin, daran müssen Sie denken: Was Stiere haben, das wollen sie behalten. Das halten sie fest, komme, was wolle. Aber das erstechen sie nicht!

Und mein Jaulen wird immer lauter, ich kann mich einfach nicht mehr beherrschen. Dieser verdammte Vollmond. Und jetzt zieht sie am Messergriff und will wirklich aufstehen und zu ihm hineingehen. Nein, bitte, wir hatten doch eine Abmachung. Nicht heute! Wir wollten uns gedulden bis Neumond! Verdammt noch mal, warum will diese Frau mit dem Kopf durch die Wand? Warum wartet sie nicht!

Vorne auf der Straße geht eine Hündin vorüber, mit einem Mann an der Leine, so eine langbeinige Brünette mit schwarzen Lippen und gekreppten Haaren. Und sie bleibt stehen und guckt zu uns herüber, und ich fühle, daß auch sie den Vollmond spürt. Das macht mich nicht gerade ruhiger. Nichts macht mich ruhiger. Die Chefin zerrt an dem Messer, und ich habe einfach keine Idee, was ich tun kann. Bis mir dieser Krimiautor einfällt, bei dem ich war vor zwei, drei Jahren oder ziemlich bald nach diesem Rocksänger, egal, auch ein Schütze, und der finstere Ehemann einer reizenden Stierfrau. Bei den beiden ging es auch nicht so weiter, und ich konnte nichts machen, weil er eben ein Krimiautor war und ständig auf der Suche nach guten Morden und immer schon vorher wußte, was ich tun wollte, und die Bremsschläuche von seinem alten Fiat regelmäßig kontrolliert hat. Eine echte Herausforderung! Aber er hatte eine Schwachstelle, und die fand ich, natürlich in einer Vollmondnacht, in einem Stahlseil an der Lenksäule, das durch ein paar gut gesetzte Bisse und Pfotenkratzer alt und zerschlissen wurde, und ich war hinterher sehr zufrieden mit mir, denn das wurde endlich seine letzte Nacht.

Und jetzt hab ich's! Auch Gustav hat seine Schwachstelle, auch wenn er gar kein Auto besitzt und immer nur mit der U-Bahn fährt! Ich springe auf den Tisch und werfe die Teller hinunter und belle so laut ich nur kann, und meine schöne Chefin schreit und läuft los, aber ich bin schneller und setze vom Tisch hinunter und renne nach drinnen, an der Theke vorbei, durch die Küchentür, und da steht der dürre Gustav in einer riesigen Wasserpfütze und hat beide Arme tief in das Spülbecken getaucht und pfeift laut die Musik mit, die aus dem Ghettoblaster kommt, und ich nehme Anlauf, weil der Spültisch sehr hoch ist, und springe auf die Holzplatte und rase auf das Radio zu, und der dürre Gustav guckt mir entgegen, und ich sehe, wie seine Arme ganz steif werden, und sein Blick wird kalt, und dann springe ich gegen das riesige Radio, und dann sehe ich nichts mehr. Ich höre nur noch das Radio in das Spülbecken fallen, und dann geht das Licht aus, weil die elektrischen Leitungen einen Kurzschluß kriegen und die Sicherungen rausknallen, und der dürre Gustav schreit. Noch ein einziges Mal schreit er kurz auf, und das ist das letzte Mal in seinem hektischen Leben. Nie wieder klack klack klack und nie wieder jagen. Mach's gut, Gustav, und falls dich das tröstet, das ist alles nur der Vollmond. Der durch den Stier geht. Und hättest du dir die Mühe gemacht, heute einmal in den Himmel zu gucken, dann hättest du vielleicht nicht gerade heute mit uns gestritten, dann hättest du deine Arme nicht so tief in das Becken gehalten, dann hättest du mir und meiner schönen Chefin nicht so dummcool vertraut.

So, das war es. Seitdem sind zwei Wochen vergangen. Und immer noch dieses verrückte, nie dagewesene Spätsommerwetter. Ich sitze draußen zwischen den Tischen und blinzele in die untergehende Sonne und bin einfach glücklich. Drinnen in der Küche klappern die Bratenpfannen. Meine schöne Chefin ist eine ganz wunderbare Köchin. Ein zarter Duft dringt wohltemperiert durch das offene Küchenfenster heraus. Ich weiß, gleich wird sie den

Backofen öffnen. Ja, jetzt rieche ich es, die Herdtür ist offen. Der kräftige Geruch von festem Schweinefleisch strömt durch das Fenster nach draußen. Ein feiner Rosmarin-Duft haucht sanft darüber und legt sich auf die Rückseite meines Gaumens. Es ist beinahe so, als würde ich jetzt schon ein Stück von diesem wundervollen Fleisch kauen. Gleich wird sie den Braten mit samtigem Rotwein begießen, und noch ein paar Minuten später wird sie eine Handvoll Estragon und Oregano über die Kruste geben. Diese Düfte sind ihr Geschenk für mich, jeden Abend. Auch dafür liebe ich sie.

Und noch ein anderer Duft zieht herrlich durch meine Nase.

Ein wirklich aufregender Geruch. Ich lasse meine Blicke schweifen, und richtig, ein paar Tische weiter sitzt die große Brünette. Diese durchtrainierte mit ihren langen Beinen und gekreppten Haaren und schwarzen Lippen, die mich regelrecht aus dem Häuschen treibt. Ich glaube, sie mag mich auch. In jener Nacht war sie mir eine große Hilfe, da hat sie mich schon sehr abgelenkt und getröstet, damals, bei der Sache mit Gustav. Auch ihr Herrchen ist gar nicht so übel. Er war der einzige, der damals die Übersicht nicht verloren hat, auf unverkennbar wassermännische Art. Er zückte sein Handy und rief die Feuerwehr und den zum Glück nicht mehr notwendigen Notarzt. Und als die Polizei kam, und wir alle zitternd am Straßenrand standen, war er der einzige, der bezeugen konnte, wo meine schöne Chefin in dem Moment war, als Gustav schrie und die Sicherungen herausflogen. Auf der Straße nämlich, unter dem Tisch, wo sie die Scherben der Teller zusammensuchte. Ha ha ha. Aber auf keinen Fall war sie drinnen in der Küche, so daß alles, was dort drinnen passierte, ganz bestimmt unter Ausschluß irgendeines anderen Beteiligten als unserem verblichenen Gustav geschah.

Jetzt beugt er sich vor und guckt zu mir herunter.

»Na, Rocky, alter Gauner. Alles gut überstanden?«

He, das klingt ja mindestens doppeldeutig. Aber der Typ ist schon in Ordnung. Und er ist keiner von denen, die duzzi-duzzi mit mir machen wollen und mir die Ohren streicheln. Also belle ich kurz und freundschaftlich zu ihm hinüber und hebe den Kopf und lasse diese Gerüche weiter durch meine Nase ziehen und riskiere es und sehe mal eben hoch in den Himmel. Und schon kommt meine schöne Chefin nach draußen und stellt ein Bier vor ihn hin und bleibt neben ihm stehen und lächelt. Wirklich, sie lächelt! Und dann sehen sie beide herunter zu mir und werfen sich Blicke zu.

»Ich glaube, es geht ihm gut.« sagt meine schöne Chefin und zwinkert mir zu.

»Das glaube ich auch. Kleiner Teufelskerl, auf den müssen Sie aufpassen. Sehen Sie sich an, wie er dasitzt und in den Himmel guckt. So lange und vollkommen unbeweglich. Manchmal denke ich, die Tiere empfangen von dort oben irgendwelche Botschaften, für die wir Menschen längst taub und blind geworden sind. Meine Stella macht das auch.«

Natürlich macht sie das, sie ist schließlich völlig normal. Aber sie ist auch außerordentlich. Ich glaube, ich sollte mal alles in Ruhe mit ihr bereden. Nicht nur das mit dem Vollmond. Ich rücke ein bißchen näher und stecke mal eben meine Schnauze zu ihr unter die Tischplatte. Sie sieht gar nicht abgeneigt aus.

Und was heute bei Stierin und Wassermann noch kommen wird, weiß ich. Wie jeden Abend wird meine schöne Chefin dem Chef von der Brünetten das Essen nach draußen bringen. Und er wird seine Süße und mich mit Salatblättern füttern. Das ist ziemlich exotisch für mich, eine völlig neue Art der Eröffnung. Dann gibt es für jeden von uns vier einen riesigen Teller mit Essen, garantiert nicht vegetarisch. Das ist genau das sinnliche und genüßliche pralle Stier-Leben, das ich mir immer gewünscht habe. Für mich und für meine Chefin.

Aber so langsam ist mir auch wieder nach etwas anderem. Ein bißchen unstierisch unstet, aber so bin ich manchmal, und angeblich kommt das davon, daß der Widder mein Aszendent ist.

Der Himmel wird jetzt langsam dunkel. Und heute nacht wird sich kein Mond über das Dach von dem Haus auf der anderen Straßenseite erheben. Heute ist Neumond. Und der gibt uns Energie, um neue Projekte in Angriff zu nehmen. Meine schöne Chefin macht gründlich sauber und schreibt viele Briefe und führt endlose Telefonate. Und mir ist so ... mir ist so ...

Die Brünette erhebt sich. Ich sehe, wir verstehen uns.

Ganz langsam streckt sie die Beine aus und tastet sich unauffällig unter dem Tisch hervor. Und da steht sie. Und
meine schöne Chefin und ihr Chef gucken sich in die Augen, und auf uns achtet keiner. Also, worauf warten wir
noch? Komm, Mädel, laß uns den Stier bei den Hörnern
packen! Und du, Chefin, mach's gut! Hier gibt es nichts
mehr, was ich für dich noch tun kann. Ich laufe gerne zu –
aber irgendwann laufe ich auch wieder weg. Und heute ist
Neumond, und es kann nichts passieren. Jedenfalls überhaupt nichts Schlimmes. Hauptsache ist doch, wir sind alle
glücklich. Oder?

Marion Schwarzwälder *Stierblut*

Wo war eigentlich der Osten, wo der Westen? Unsichtbare Linie in den Menschen, die das AlteHerzderStadt, die NeueMitte besuchten.

Glas. Stahl. Beton. Und Baucontainer. Dazwischen Ampeln und Verkehrsschilder, ausreichend für eine Kleinstadt.

Ein Frühlingstag, der den Namen nicht verdiente; ein Temperatursturz um zehn Grad hatte winterlich kühle Luft und graue Wolkenberge gebracht, dicke Pullover und griesgrämige Gesichter.

Es war noch zu früh. Sie suchte Schutz vor den heftigen Windböen, die Staub von den Bauabschnitten herüberwehten zu Kaffeehaustischchen - trotz der Kälte standen sie in Reih und Glied. Die kürzlich gepflanzten Bäume davor mit den hellgrünen Blättern wirkten künstlich.

Drinnen, am Tresen, übersah die Bedienung sie minutenlang, reagierte schließlich auf ihre laut gerufene Bestellung, brachte ihr den heißen Tee mit Rum und kassierte sofort.

Sie drehte sich eine filterlose Zigarette, zündete sie an und schlürfte das heiße Getränk.

Hier war er also, der Mittelpunkt der Goldgräberstadt, der Neuen Stadt. Bauwut, zunächst im Ostteil der Stadt explodiert - der alte Westen folgte zögerlich nach. Das

Neue Berlin, für das beschwörend fast geworben wurde, auf gigantischen Reklameflächen; überall war der Slogan angebracht, überall in dieser Stadt, wo immer für irgend etwas von irgend jemandem geworben wurde.

Sie lief durch die neu angelegten, engen Straßen zum Marlene-Dietrich-Platz - nichts von Glamour, Glanz, gar Welt.

Die Kälte trieb sie in den Neuen Einkaufspalast. Einer der Wachmänner an der Eingangstür beobachtete sie argwöhnisch. Nicht zu langsam gehen, nicht zu schnell – sie war geübt darin, sich abzuducken, nur aufzufallen, wenn sie es darauf anlegte. Im Treppenhaus fand sie einen Waschraum. Ruhig betrachtete sie sich im Spiegel: Das kurzgeschnittene, blondierte Haar war kaum sichtbar unter der Baseballmütze mit der weißen Aufschrift eines Pizzalieferdienstes, das Gesicht unauffällig geschminkt, das Augenbrauen-Piercing entfernt, die geklaute Lederjacke ohne die sonst üblichen Risse und Aufnäher.

Sie musterte den Raum und entschied sich für einen hohen Schrank, auf den sie ihre prallgefüllte Plastiktüte verstaute, hinter Toilettenpapierrollen und Putzlappen. Ein Blick auf die Armbanduhr: Es blieb Zeit, sich alles noch einmal von draußen anzusehen.

Baulärm und Staub hüllten sie ein, dazu der dichte Autoverkehr an der improvisierten Kreuzung mit den Umleitungsschildern. In die Höhe wurde gebaut, ein Wald aus verschiedenfarbigen Kränen, aber auch unter der Erde wühlten sie. Ein Neuer Bahnhof entstand, einer der zahllosen; eine Tafel wies ihn als Regionalbahnhof Potsdamer Platz aus.

Sie lief in die Mohrenstraße, vielleicht zweihundert Meter, nur nicht zu schnell, überquerte die Straße, drehte sich um und hatte nun die drei Türme vor sich. Alles noch wie vor zwei Tagen: der rechte verglast, ohne Gerüst, der linke im Bau, der mittlere bis zur Hälfte eingerüstet, in den oberen Etagen ersetzten noch Plastikhüllen das Fensterglas, und die Außenfassaden waren grau, ohne die Backsteinverkleidung der unteren Stockwerke. Und da, an der Spitze zweier aufeinander zulaufender Fassaden, ein Außenfahrstuhl, befestigt an einem Gerüst, das bis nach oben reiche; in jeder zweiten Etage eine vergitterte Tür.

Der Lärm nahm wieder zu, je näher sie der Baustelle kam, ab und an hoben sich einzelne Stimmen heraus, kurze Soli - zu sehen waren nur wenige Arbeiter, die Mehrzahl schien mit Innenausbauten beschäftigt.

Sie erschrak: Ein Radfahrer raste haarscharf an ihr vorbei, streifte ihre rechte Schulter und schien nichts bemerkt zu haben. Sie schrie hinter ihm her, »Arschloch, bleib stehn!« und fummelte das Tabakpäckchen aus der Jackentasche. Gierig inhalierte sie die schnell Gedrehte. »Verdammt, verdammt«, sagte sie leise.

Es war Zeit.

Das mittlere Gebäude war rundum abgesperrt; nur in der Nähe des Cafés, zwischen hohen Gittern, hatte man einen Durchgang freigelassen. Der Wachmann, in grauer Hose und dunkelblauem, uniformähnlichem Blouson, den Ausweis ordentlich auf der Herzseite festgeklemmt, gab den Weg für zwei Arbeiter frei, die Baumaterial hereinschleppten. Sie stellten ihre Last ab, einer ließ sich von dem Wachmann Feuer geben.

Und schon war sie an ihm vorbei.

Es war erstaunlich einfach. Niemand hielt sie an. In ihrem weiten Blaumann und mit einem beigen Bauhelm verschmolz sie mit dieser Umgebung. In einer Hand balancierte sie eine Pappschachtel mit dem Aufdruck einer Pizzeria.

High noon, Mittagszeit auf der Baustelle, Essen im Gebäude, eine Gruppe saß im Windschatten eines Baucontainers; jeder aß schweigend.

Sie hielt den Kopf gesenkt, suchte sich ihren Weg, nur einmal sah sie auf. Der Fahrstuhl glitt abwärts, sie verlangsamte ihre Schritte, bis der Glaskäfig unten ankam und zwei Arbeiter ausstiegen. Mit wenigen Schritten war sie an der Tür.

Der Fahrstuhlführer, in dessen Rücken sie huschte, drehte sich nicht um, fuhr los, fragte: »Wievielten?«

Und sie nuschelte: »Ganz nach oben.«

Er hatte die Pizzaschachtel gesehen.

»Knoblauch, was?«

»Mhm.«

Der Fahrstuhl glitt höher und höher, sie schaute nur auf die Pizzaschachtel, die sie jetzt mit beiden Händen umklammert hielt; die Konturen der Gebäude, die sie nur aus

den Augenwinkeln wahrnahm, verschwammen, der Fahrstuhlführer pfiff eine Melodie, und da hielt der Käfig. Sie
öffnete die Gittertür, machte einen Schritt in das Gebäude,
griff in die Pizzaschachtel und zog einen roten, schwarzbedruckten Zettel heraus.

»Halt«, rief sie. »Gib das sofort deinem Boß.«

Sie reichte dem Mann das Blatt.

Er starrte auf die Schachtel, schluckte, zog die Gittertür
zu, drückte den Abwärtsknopf und ging in Deckung,
bückte, kauerte sich zusammen und zog den Kopf zwischen die Schultern.

Sie ging in den nächstliegenden Raum, zog die Plastikfolie
vom Fenster, öffnete die Pizzaschachtel, entnahm ihr eine
Pistole und verstaute sie in der Brusttasche des Blaumanns.
Dann warf sie die Schachtel aus dem Fenster, beobachtete
einige Sekunden lang den Flug der roten Zettel, die der
Wind packte, auseinanderwirbelte und hin- und hertrieb.
Sie fand die Treppe zum Dach, immer noch eine flache Betonfläche; eine einzelne Mauer stand hier, in deren Windschatten sie sich setzte. Von hier aus hatte sie die Treppe im
Blick.

Die Sicht war atemberaubend, hinüber in den Ostteil
der Stadt, weit in die Ferne.

Sie kramte den Tabaksbeutel aus der Hosentasche und
begann zu drehen, eine Zigarette nach der anderen.

Und dann hörte sie es, das Bausignal und die Pfiffe und
Rufe und kurz darauf die erste Polizeisirene.

Minutenlang geschah nichts, was sie von ihrem Platz aus hätte sehen oder hören können. Sie zündete sich eine Zigarette an, stand auf und wählte einen neuen Platz, den man von den beiden Gebäuden rechts und links nicht einsehen konnte. Wieder setzte sie sich auf den Zementfußboden, einen Betonpfeiler im Rücken, die Treppe kontrollierbar. Eine Windböe wirbelte ein Flugblatt hoch, ihr ins Gesicht, sie griff danach, legte es vor sich auf den Boden und beschwerte es mit der Pistole.

Das Klingeln des Handys warf sie fast um. Obwohl sie darauf gewartet hatte, zuckte sie zusammen, als habe sie jemand unerwartet von hinten angefallen.

Sie nahm das Telefon aus der Hosentasche, inhalierte noch einmal tief den Zigarettenrauch.

»Ja«, krächzte sie, und die Stimme versagte ihr fast.

»Schneider hier, mit wem spreche ich?«

»Laß den Quatsch«, knurrte sie.

»Hören Sie, tun Sie nichts Unüberlegtes, wir können über alles sprechen, wir werden eine Lösung finden. Sagen Sie ... wie soll ich Sie nennen?«

»BeBe.«

»Bitte?«

»BeBe. Zweimal B, Englisch ausgesprochen.«

»Wie wär's, wenn jemand von uns hochkommt ...«

»Einen Scheiß werdet ihr ...«

»Dann können wir in Ruhe über alles reden, hier steht nur ...«

»Ich weiß, was da steht. Keine Bullen hier oben.«

»Wir schicken Ihnen eine Beamtin hoch, alles würde viel unkomplizierter, Sie könnten ihr sagen, was ...«

»Keine Bullen, sonst kracht's.«

»Bleiben Sie ruhig, ich bitte Sie, wie gesagt, wir können über alles sprechen, handeln Sie nicht vorschnell, BeBe. Wie wäre es mit unserer Psychologin, denken Sie nach ...«

BeBe hielt sich das Handy vom Ohr ab, ließ den Mann quatschen, der redete und redete, das kannte man ja; sie überlegte krampfhaft, rauchte, verdammt, was tun.

»... und wir finden eine Lösung und ...«

»Okay.«

»Bitte?«

»Okay. Aber sie allein. Unbewaffnet. Nützt euch eh nichts. Nur sie. Ende.«

Seit der Telefonklingelei war sie aufgeregt: Die Leere im Kopf, das Mechanische, die Konzentration auf das unmittelbar vor ihr Liegende, die Kälte, mit der sie die letzten Vorbereitungen getroffen hatte - all das war der Aufregung gewichen. Ihr Atem ging schnell und flach; sie wachte gleichsam auf, entsetzlich, wo war sie nur, wie sollte das alles weitergehen, eine neue Zigarette am Stummel der alten angezündet, den Finger verbrannt - verdammt, das brachte sie wieder zurück in den Moment: Sie würde es schaffen, es allen zeigen.

Das Szenario vor dem Gebäude schien ein hilfloses Durcheinander aus Uniformierten und Zivilisten. Hinter einer Absperrung standen Zuschauer, die immer wieder hinaufschauten und hungrig nach der Sensation suchten, die das Aufgebot an Polizeiautos, Krankenwagen und Feuerwehrautos versprach. Wildes Stimmengewirr, in der Mitte Darsteller verschiedener Szenen; alle agierten gleichzeitig.

»Beschreiben Sie die Person«, forderte ein Polizist den Fahrstuhlführer auf.

»Hab' ich doch schon.«

»Dann eben noch mal. Erinnern Sie sich bitte, jede Kleinigkeit ist wichtig.«

»Ich hab nichts gesehen. Blaumann. Helm. Und die Knarre.«

»War sie nervös? Entschlossen?«

Der Fahrstuhlführer zuckte die Achseln.

»Hoch mit euch«, deutete ein Beamter auf die beiden Gebäude rechts und links.

»Versucht, ein Foto zu schießen, das wir in der Szene herumzeigen können, bei den Streetworkern, vielleicht kennt sie jemand.«

»Die Gebäude sind etwa gleich hoch, das klappt nicht«, mischte sich jemand von der Bauleitung ein.

»Überprüft die Handynummer«, sagte der Einsatzleiter. »Schafft mir einen Gang-Spezialisten her. Bull-Bloods. Schon mal jemand gehört? Sind unsere Leute postiert?«

»Wir können nicht überall Sprungtücher ausbreiten«, warf ein Feuerwehrmann ein.

»Wer kümmert sich um den Gang-Fachmann?«

»Es ist Freitagmittag, Chef. Die Ämter sind zu. Freitag ab eins macht jeder seins«, setzte ein Kripomann hinzu.

»Mensch. Laß stecken«, knurrte der Einsatzleiter. »Wo bleibt die Psychologin?«

»Wird gerade verkabelt.«

»Wie lange dauert das? Ah, da sind Sie.«

»Bleiben Sie auf dieser Seite mit ihr«, sagte der Feuerwehrmann zu der Frau und deutete auf die Gebäudeseite über ihnen.

»Haben Sie alles? Fertig?« fragte der Einsatzleiter.

Die Frau schob den Bauhelm zurecht, nickte.

»Versuchen Sie, Zeit zu gewinnen, reden Sie, halten Sie die Frau bei der Stange.«

»Sie brauchen mir meinen Job nicht zu erklären.«

»Gott. 'ne Emanze. Ich dachte, die sind ausgestorben.«

»Wollen Sie wirklich diese Frau allein hochschicken?« mischte sich der Anzugträger von der Bauleitung ein, mit einem Helm auf dem Kopf, der ihn lächerlich wirken ließ. »Holen Sie die Verrückte doch runter, überwältigen, abführen, was das kostet hier, unternehmen Sie was.«

»Abschießen. Wie wär's mit Abschießen?« sagte die Polizeipsychologin, tippte mit dem Zeigefinger an ihren Helm und drehte ab zum Fahrstuhl.

Jemand rief ihr nach: »In den beiden oberen Etagen müssen Sie die Treppen benutzen.«

Zuerst sah BeBe den Helm, schulterlanges, braunes Haar, einen beigen Mantel, Jeans, Stiefel. Die Frau stieg langsam die letzten Stufen hoch, den Blick auf BeBe gerichtet. Sie schien erleichtert: Die Pistole war nicht zu sehen.

»Nimm den Helm ab«, waren BeBes erste Worte. »Mantel aufknöpfen. Pullover hochziehen.«

»Du hast wohl zu viele Krimis gesehen.«

BeBe stand am Betonpfeiler und wartete. Sie hatte Blaumann und Helm abgelegt, trug ein dickes, rotes Sweatshirt. BULL-BLOODS stand in großen, altmodischen Lettern quer über der Brust.

»Stierblut«, sagte die Frau. »Ich heiße Linda, Linda Kaminczyk, du kannst Linda sagen. Und du?«

»Schluß mit dem Gesülze. Ausziehen.«

»Na schön.«

Linda knöpfte den beigen Mantel auf, zog den Pullover hoch, das T-Shirt aus der Hose und die Verkabelung heraus, warf sie in weitem Bogen vom Dach, dorthin, wo der Einsatzleiter stand. Dann suchte sie sich einen Platz, BeBe gegenüber.

»Ist BeBe eine Abkürzung von Bull-Bloods?«

Das Mädchen war stehengeblieben, musterte sie von Kopf bis Fuß. Linda stülpte langsam die Taschen aus dem Mantel, öffnete ihn weit, drehte sich einmal um die Achse und kauerte sich auf den Boden.

»Ach, was soll's, ihr könnt eh nichts machen.«

»Bull-Bloods. Ist BeBe die Abkürzung?« wiederholte Linda ihre Frage.

»Mein Kampfname.« BeBe rollte den rechten Ärmel des T-Shirts hoch und zeigte eine Tätowierung am Oberarm. Zwei schwarze Bs auf rotem Grund, zerschnitten von einem Messer.

»So eine hatte ich vor zwanzig Jahren auch mal.«

Linda deutete auf BeBes Hose mit weitem Aufschlag.

»Ach ja? Damals, was?«

»Ja. Damals. Wie alt bist du, BeBe?«

»Dreizehn. Strafunmündig«, grinste BeBe spöttisch.

»Und die anderen, wie alt sind die?«

BeBe schwieg.

»Alles Mädchen? Keine Typen? Habt ihr was gegen Männer?«

»Warum? Bei euch sind immer die Männer schuld. Die Weiber sind genauso verlogen. Aber wir lamentieren nicht. Und wir bitten niemand. Wir holen's uns.«

»Wie die Geisel. Wer ist es?«

»Jemand Bekanntes. Ihr werdet schon sehen.«

BeBe rauchte wieder; eine der Vorgedrehten. »Ihr macht besser, was wir wollen, sonst ...«

»Sonst ...«

»Sonst kriegt er 'ne Ladung Stierblut verpaßt.«

»Stierblut?«

»Ich bin Stier, okay. Wir alle. Und unser Blut ist infiziert.«

»Langsam. Stiere?«

»Sternzeichen, Mensch. Und unser Blut ist Aids-infiziert.«

»Hast du Aids?«

BeBe rauchte.

»Wie wurde das festgestellt?«

»Egal, ey. Und du? Hast du überhaupt was zu sagen?«

»Was meinst du mit 'was zu sagen'?«

»Na, zu entscheiden. Oder mußt du die da fragen?«
BeBe zeigte vage nach unten und inhalierte tief.

»Nimmst du Drogen?«

»Drogen?« BeBe neigte den Kopf zur Seite.

»Drogen«, wiederholte Linda

»Drogen. Was denn für Drogen?«

»Haschisch, Heroin, Crack ...«

»Ahja. Und was ist mit Alk?«

»Du meinst, es gibt legale und illegale Drogen.«

BeBe schnaubte. »Hör auf mit dem Psychologenge-
quatsche. Ein Kumpel von mir hatte dope in der Tasche,
nur so für den Eigengebrauch, das haben an der Grenze
nach Polen die deutschen Bullen gefunden. Jetzt soll er
Steuern dafür zahlen.« Das Mädchen tippte sich an die
Stirn. »Der Staat ist der größte Dealer, wenn du mich
fragst, und solange das so ist, hör mir auf mit Drogen und
dem Gesülze. Meine Mutter hat mir früher immer Schnaps
auf den Schnuller geschmiert, damit ich nicht schreie.«

»Hat deine Mutter getrunken?«

»Getrunken? Gesoffen hat sie, reingeschüttet, was ging,
sie und Charlie. Immer, wenn er sie verprügelt hat oder abgehauen ist oder die Bude demoliert hat. Sie hat alles gesoffen, was ihr zwischen die Finger kam und Charlie mit ihr,
wenn er da war.«

»Und dein Vater?«

BeBe zuckte mit der linken Schulter.

»Hat er dich auch geschlagen, ich meine, Charlie?«

»Klar. Aber irgendwann hab' ich nicht mehr geheult. Der konnte prügeln, soviel er wollte, ich hab' nicht mehr geheult.« BeBe hatte die linke Faust geballt und schlug sich damit auf den Oberschenkel. »Meine Mutter hat manchmal versucht, ihn davon abzuhalten, ist dazwischen gegangen, da hat er uns eben beide gekloppt.«

»Sie wollte dich beschützen.«

»Von wegen beschützen! Sie hätte den Kerl rausschmeißen sollen. Nie hat sie Anzeige erstattet, wenn Nachbarn die Bullen gerufen haben, weil so 'n Krach war bei uns.« BeBe lachte höhnisch.

»Ihn hat sie in Schutz genommen, gelogen hat sie, gesagt, daß ihre blauen Flecke von Stürzen oder so was kommen. Ich hätte mir so was nicht bieten lassen, ich nicht. Aber ich konnte ja nichts machen, solange ich noch ...«, BeBe stockte, »... ein Kind war«, schloß sie, kaum hörbar.

Sie schwiegen beide.

Der Wind trug Stadtgeräusche herauf, den alltäglich gewordenen Lärm des Autoverkehrs und den der anderen Baustellen.

Linda beobachtete BeBe. Der Schock hatte dem Panzer Risse beigebracht. Vielleicht gab es jetzt eine Chance.

Das Mädchen blickte über die Stadt und rollte, wie unabsichtlich, das Hosenbein über den linken Unterschenkel hoch. An der Wade war ein Messer in einer ledernen Scheide befestigt. Langsam zog BeBe es heraus, sah für Momente auf die breite Schneide und schien plötzlich zu erkennen, was sie da in der Hand hielt.

Linda fing BeBes Blick auf. Die alte Ordnung schien wieder hergestellt, das bißchen Vertrauen zerstört. Linda stand auf, legte einen Meter zwischen sich und das Mädchen.

»Haste Angst?«

Linda erwiderte ihren Blick: »Muß ich das?«

BeBe schaute als erste weg. Sie begann, mit der flachen Seite des Messers auf die Innenseite ihrer linken Hand zu schlagen, verstärkte den Rhythmus mit dem linken Fuß, der im Gleichklang auf den Fußboden tippte, dang ... dang ... dang ...

»Charlie hatte ein Messer«, sagte BeBe unvermittelt, ohne das Schlagen zu unterbrechen. Dang ... dang ... dang ...

»Er hat sich naß rasiert, manchmal mit 'nem Messer. Mann, war das geil, wenn er geblutet hat. Messer sind voll kraß schön. Was die anrichten können, nicht nur so 'n kleines Loch wie 'ne Pistole. Ich wollte schon als Kind ein Messer haben. Zustoßen, einfach zustoßen, ich mußte mich manchmal auf meine Hände setzen, wenn ein Messer auf'm Tisch lag, damit ich es nicht gepackt und einfach zugestoßen hab.«

Der Rhythmus wurde schneller, dang, dang, dang, dang ...

Linda wußte, daß sie dieses Geräusch nicht mehr lange aushalten würde, dieses dang, dang, dang, das jetzt langsamer wurde und wieder gleichmäßig, dang ... dang ... dang ...

»Wie lange wird das noch dauern?«

Der Mann in Anzug und Bauhelm hatte sich den Weg durch die Umstehenden hin zum Einsatzleiter gebahnt, der gerade sein Handy ausschaltete.

»Wer ist das?« wandte sich der Mann an seinen Partner.

»Marenka, ich bin hier für die Baustelle zuständig. Würden Sie mich bitte über den Stand der ...«

Das Handy klingelte.

»Schneider«, meldete der Einsatzleiter sich sofort. »Ja ... aha ... Bleibt dran. Nichts«, sagte er zu seinem Partner. »Immer noch nichts. Wo bleibt denn der Gang-Mensch, verdammt. Hat sich die Kaminczyk wieder gemeldet?« Er drehte sich um und fauchte unvermittelt den Baustellenleiter an: »Und was wollen Sie überhaupt hier?«

Ein Polizist nahm den Geschäftsmann am Ellbogen und führte ihn zur Seite. »Sie sehen doch. Wir können noch nicht ...«

Der Bauleiter schüttelte die Hand des Polizisten ab und ging erbost zu Schneider zurück. »Sehen Sie bloß zu, oder unternehmen Sie auch etwas? Was denken Sie, was hier jede Minute Stillstand ...«

»... kostet, ich weiß. Wenden Sie sich ...«

»... an die Zuständigen, ich weiß.«

Ein Hubschrauber zog Kreise, enger und enger, er flog niedriger und dann sah man auch eine Frau neben dem Piloten, die eine Kamera hielt.

»Was ist denn hier los? Was wollen die denn? Ist der von uns? Was? Das Fernsehen? Oh, Mist!«

Linda und BeBe hörten den Hubschrauber, bevor sie ihn sahen. BeBe sprang auf, stellte sich wieder mit dem Rücken an einen Pfeiler. Langsam schob sich der Hubschrauber höher, umrundete sie.

»Scheiße, verflucht, ihr legt mich rein, ich hab's doch gewußt.«

Sie rannte zu Linda, baute sich vor ihr auf und fuchtelte mit dem Messer.

»Ruf sofort an!« befahl sie mit kreischender Stimme. »Die sollen den Hubschrauber abziehen. Sofort.«

Linda fummelte das Handy aus der Hosentasche, beobachtete dabei, wie BeBe das Messer vor sich auf den Boden fallen ließ und die Pistole aus der Brusttasche des Blaumanns zog.

»Ja, okay, wir klären das, bleib ruhig, BeBe.«

»Scheiß was auf klären, die sollen abhauen.«

Der Hubschrauber schwebte in Höhe der Dachfläche, man konnte die Kamerafrau deutlich sehen.

Linda drückte die Wiederwahltaste.

»Sorgt dafür, daß der Hubschrauber abdreht.« Sie hörte einen Moment zu, schrie gegen den Motorenlärm an: »Er ist nicht von uns, BeBe, er ist von der Presse.« In den Hörer sagte sie: »Wenn ihr diesen Hubschrauber nicht wegkriegt, fahren wir runter. Nein, ich brauch hier keine Hilfe.«

Eine Minute verging, quälend langsam. BeBe stand da, mit der Pistole im Anschlag. Die Pose wirkte eingeübt. Befriedigung huschte über ihre Gesichtszüge, als der Hub-

schrauber jäh abdrehte: Sie hatte gewonnen, wenigstens
für den Moment.

»He. BeBe.«

BeBe ließ langsam die Pistole sinken, steckte sie ein,
suchte nach dem Messer, hob es auf und begann wieder ihr
Spiel damit, schlug mit der Schneide auf die linke Handfläche, dang ... dang ... dang ...

»Was hältst du davon, wenn wir ein paar Stockwerke
tiefer fahren?«

»Was? Kommt nicht in Frage.«

»Der Hubschrauber kann wiederkommen.«

»Ach, nicht mal das könnt ihr geregelt kriegen, ihr Bullen?«

»Richtig. Alles können wir nicht kontrollieren.«

»Du hältst mich wohl für dämlich, was, da unten sind
doch deine Leute.«

Linda drückte ihren Handyknopf, sagte, »Bestätige,
daß das Gebäude leer ist«, und hielt BeBe das Gerät hin.

»Na, nimm!« Linda ging einen Schritt auf BeBe zu.
»Los doch!«

»Gib du mir keine Befehle«, fauchte BeBe. Sie forschte
in Lindas Gesicht.

»Hallo«, tönte es aus dem Handy.

Linda hielt dem Blick des Mädchens stand.

»Okay«, sagte BeBe plötzlich. »Mach es klar mit dem Typen. Aber wir nehmen nicht den Fahrstuhl. Wir klettern.«

BeBe zeigte auf die Leiter, die am Außengerüst parallel
zum Fahrstuhl entlanglief.

»Kannst vorher noch eine rauchen.«

Jetzt hatte Linda wirklich Angst, zum ersten Mal an diesem Tag. Bisher mühsam im Zaum gehalten, überfiel sie Panik, eine regelrechte Attacke: Ihr Atem stockte, die Handflächen wurden naß und dazu das bekannte Schwindelgefühl - am liebsten hätte sie sich auf den Boden gelegt, geweint, das Mädchen angefleht: Alles, nur nicht klettern, nur nicht wahrhaben, wo sie sich befand, so hoch oben, rundum improvisiertes, instabil aussehendes Geländer; die aufsteigende Angst im Fahrstuhl zuvor mit aller Erfahrung hinuntergeatmet, dann konzentriert auf das Mädchen, immer eine Wand im Rücken, und jetzt? Klettern?

»Wir tauschen die Klamotten und klettern«, wiederholte BeBe und warf die heruntergerauchte Zigarette weit von sich.

»Das ist Wahnsinn. Weißt du, wie hoch wir hier sind ...?« Lindas Stimme erstarb. Sie räusperte sich. »Wozu soll das gut sein?«

»Dann hab ich alles unter Kontrolle, da kann uns niemand aus dem Hinterhalt überfallen.«

»Das hat doch niemand vor, ich meine, ihr habt die Geisel, die will niemand gefährden, das ist doch klar, das siehst du bei allem, was bisher geschehen ist, niemand will dich reinlegen, BeBe, und ich am allerwenigsten.«

»Schluß jetzt!« brüllte BeBe plötzlich. »Du tust, was ich sage.«

»Ruhig, BeBe, wir können über alles reden, aber das ...«

»Reden, reden, das ist alles, was ihr könnt.«

Langsam ging Linda auf das Mädchen zu.

»Hör zu. Wir machen einen Kompromiß ...«

»Einen Kompromiß? Einen Kompromiß?« schrie BeBe. »Hier hast du deinen Scheißkompromiß«, und stach zu. Das Messer fuhr durch Lindas Mantel und blieb am Oberarm stecken.

»Mist, ey, das haste jetzt davon, Mist, ey, verdammter.«

Linda zog das Messer aus dem Ärmel und schleuderte es weit von sich, schälte sich vorsichtig aus dem Mantel, zerrte das T-Shirt am Ausschnitt herunter und besah sich ihren Oberarm. Das Messer hatte die Haut nur oberflächlich geritzt, Blut ließ die Wunde dramatischer erscheinen, als sie war. Linda bedeckte sie mit einem Taschentuch, zog sich wieder an, das Mädchen immer im Auge. Sie packte BeBe, die zusammengesackt immer noch auf demselben Fleck stand, und zog sie am Arm zur Treppe. Widerspruchslos folgte ihr das Mädchen. Sie stiegen zwei Etagen hinunter, dorthin, wo Wände hochgezogen, Decken eingezogen und die Fenster mit Plastikplanen verhüllt waren. Linda schob das Mädchen an eine Wand und entkleidete sich erneut, besah sich die Wunde, hielt BeBe das blutbefleckte Taschentuch hin.

»Hast du ein frisches?«

»Was?«

»Ob du ein frisches Taschentuch hast?«

Das Mädchen hatte eine erschreckend blasse Gesichtsfarbe.

»Eh, BeBe, gibst du mir eine Zigarette?« Sanft stupste sie das Mädchen in die Seite, bis es reagierte, den Tabaksbeutel rauskramte und mit bebenden Fingern versuchte, eine Zigarette zu drehen. Linda faltete das Taschentuch und drückte es auf die Wunde, nestelte den Schnürsenkel aus einem von BeBes Schuhen, die das geschehen ließ, band ihn um das Tuch und zog sich wieder an. Dann nahm sie BeBe das Blättchen, den Tabak aus der Hand, drehte rasch zwei Zigaretten, wühlte Streichhölzer aus der Manteltasche, zündete beide Zigaretten an und schob eine davon BeBe in den Mund. Das Mädchen saugte den Rauch tief ein und schien zu sich zu kommen.

»Wir brauchen einen Beweis, heißt normalerweise die Formel bei einer Geiselnahme.«

Zum ersten Mal seit der Messerattacke sah BeBe Linda ins Gesicht.

»Es gibt keine Geisel, nicht?«

BeBe schüttelte langsam den Kopf. »Nein.«

Sie rauchten. Linda ließ sich an der Wand hinuntergleiten, setzte sich auf die Mantelschöße; BeBe kauerte sich neben sie.

»Wenn du das weißt, warum bist du hier und warum all das da unten?«

»Das ist mein Job. Polizeiarbeit. Zunächst mal müssen wir davon ausgehen, daß es eine Geiselnahme gab. Wobei deine, hm, Vorgehensweise unüblich ist: So in die Öffentlichkeit gehen, keine Forderungen aufs Flugblatt und so weiter. Aber wir müssen in jedem Fall so tun, als ob, wie bei einem Bombenfund. Dabei weiß man auch nicht, ob die Bombe scharf oder ein Blindgänger ist. Man nimmt an, daß was hochgehen kann, und trifft alle möglichen Sicherheitsmaßnahmen, evakuiert zum Beispiel die umliegenden Häuser. Aber ich bin dann deinetwegen geblieben.«

»Wegen mir? Du kennst mich doch gar nicht. Du bist doch nur hier, weil du mußt.«

»Mich interessiert schon, warum du das alles gemacht hast und was du damit erreichen willst. Vielleicht können wir zusammen eine Lösung finden.«

»Du kannst nichts für mich tun. Niemand. Warum willst du was für mich tun?«

»Weil ich mich über Verschwendung ärgere.«

BeBe überging irritiert Lindas Antwort. »Und was jetzt?«

»Mal überlegen, was wir jetzt machen können.«

»Nix. Mit mir läuft nichts mehr.«

»Was ist mit deiner Mutter?«

»Die hat mich ins Heim gesteckt. Ich hab einem Lehrer ins Bein gestochen. Der hat mich aufgeregt, ich bin zu spät gekommen, ich war bei Charlie im Krankenhaus, der hatte bestimmt zehn Stichwunden, hing da am Tropf, sah total übel aus. Geil, was so 'n Messer anrichten kann. Oh Mann. Tut mir leid.«

Linda rauchte. »Erzähl weiter.«

»Dann bin ich ins Heim gekommen. Strafunmündig. Aber von dort bin ich abgehauen.«

»Lebst also auf der Straße?«

65

»Ich hab alles durch, Familienhelfer, Heim und noch 'n Heim und Entzug.«

»Was nimmst du?«

»Ich sniefe ab und zu, ich fix' nicht, bin doch nicht blöd. Ich kenn eine, ich meine, bei uns ist eine, die Alten sind Lehrer, ganz normal, die spritzt unter die Zunge, damit man die Einstiche nicht sieht. Wir sind Blutsschwestern.«

»Hm. Stierblut.«

»Wir helfen uns. Für euch sind wir doch schon so gut wie tot. Zählen nicht. Wir wollen zusammen weg, in die Karibik. Der Senat hat das doch auch für andere Jugendliche gemacht, die im Knast waren, hat ihnen ein Schiff gegeben, sie auf so 'ne Insel geschickt und alles bezahlt, wir wollen das auch, wir Bull-Bloods.«

»Es gibt keine Bull-Bloods-Gang, BeBe.«

Der Weinkrampf überfiel das Mädchen übergangslos, sie schluchzte, würgte und fing an zu brechen, immer qualvoller, krümmte sich zusammen und spuckte, bis nur noch Galle kam.

Linda versuchte BeBe zu halten, murmelte Unverständliches, strich ihr über den Rücken und zog ihr dabei die Pistole aus der Hosentasche, verstaute sie in der eigenen Manteltasche und legte dem Mädchen die Hand auf den Arm, bis es ruhiger wurde.

Irgendwann stand BeBe langsam auf, wischte sich mit dem Handrücken durchs Gesicht, schniefte, spuckte aus und schüttelte sich, ließ sich von Linda die Hose notdürftig säubern.

»Atme mal ruhig durch«, sagte Linda. »Und dann fahren wir runter, erstmal einen Kaffee trinken.«

BeBe rückte von ihr ab. »Und dann?«

»Wir werden schon was finden, eine Mädchen-Wohngemeinschaft vielleicht.«

»Das hat der Familienhelfer vom Bezirksamt auch schon versucht, die haben Wartelisten.«

»Ich finde einen Platz.«

»Du kannst das nicht versprechen. Du kannst nichts versprechen. Ich hab schon alles durch. Es wiederholt sich doch nur alles.«

»Hast du denn keine Pläne, BeBe, Träume? Was ist mit der Karibik?«

»Du redest Scheiße. Ich glaub’ doch nicht im Ernst an so was. Ich glaub nicht an euer Zeug. Pläne! Ich meine, sieh dich um. Ist das hier normal?« Sie beschrieb einen Halbkreis mit dem Arm.

»Du könntest dich beteiligen. Schule beenden. Dich mit anderen zusammentun.«

BeBe schüttelte den Kopf, als habe Linda etwas entsetzlich Dummes gesagt.

Linda fuhr fort: »Man glaubt in deinem Alter, die Welt sei zu verändern. Man will alles. Jetzt. Sofort. Kein Elend mehr und all das. Keine Scheintoten. Keine Kompromisse.«

BeBe sah Linda an. Lange. Zerdehnte den Moment. So, als suche sie etwas. Und dann ging alles sehr schnell.

Das Mädchen drehte sich um, lief zum Fenster, riß die Folie herunter, zog sich am Rahmen hoch und sprang.

»Cut«, rief der Regisseur ins Megaphon.

»Sozialkitsch«, murmelte die Regieassistentin und schlug das Drehbuch zu.

Dietrich Schwanitz *Der Stier in der Mausefalle*

»Deine Freundin war da.«

Max blieb stehen, begegnete dem herausfordernden Blick von Bodo Kühnert, dessen weicher Körper sich sanft in seinem Drehstuhl hin- und herbewegte, und ließ sich gegenüber seinem Schreibtisch in den Besucherstuhl fallen. Daß Kühnert auch keine Frau erwähnen konnte, ohne danach in dieses blöde Gekicher zu verfallen! Und das, obwohl er als Feuilleton-Redakteur doch für Geschlechtliches zuständig war! Eigentlich war es eher ein Glucksen. Max Eschborn beobachtete, wie sich aus Kühnerts Innerem ein anschwellendes Beben langsam nach außen vorkämpfte, das schließlich in Form eines Zeitraffer-Schluckaufs hervorbrach und die wabbelige Oberfläche seines Rumpfes in anhaltende Vibration versetzte.

»Tatsächlich«, gluckste Kühnert, »deine Professorin war da, wie heißt sie noch, ich vergesse vor Schreck jedesmal ihren Namen, wie heißt die Professorin von Max noch?« rief er zum Nebenschreibtisch hinüber, wo Volker in seinen Bildschirm starrte. »Er hat nämlich die Lady entertained«, fügte er hinzu, »oder sie ihn, denn er war nachher ganz ausgelaugt, stimmt's, Volker?«

Volker – in der Redaktion auch bekannt als »Volker, das Volk«, weil er auch für die Leserbriefe zuständig war – hob seinen Blick nicht vom Bildschirm. »Zugedröhnt hat sie mich«, sagte er bloß. »Wie du es mit diesem Blaustrumpf aushältst, ist mir schleierhaft. Sie ist eine Redemaschine, deine Verena.«

»Sie heißt Vera, und sie ist keine Professorin, sondern Assistentin, und ein Blaustrumpf ist sie schon gar nicht. Habt ihr ihr nicht gesagt, daß ich noch in dieser Besprechung bin?«

Kühnerts Glucksen kam in einem sanften Nachbeben langsam zur Ruhe. »Sie wollte gar nicht zu dir.« Er genoß es, dieser Mitteilung eine wachsende Bedeutung zu verleihen, indem er jede weitere Erläuterung verweigerte. »Volker, das Volk« erhob sich und setzte sich auf die Kante von Kühnerts Schreibtisch, um Max interessiert zu beobachten.

Max fühlte den Impuls, ihnen das Vergnügen zu vermasseln, indem er nicht weiter nachfragte.

»Zu wem wollte sie denn?« hörte er sich fragen.

Kühnert sah Volker an, und Volker sah Kühnert an.

»Sag du's ihm«, sagte Kühnert.

»Nach dir«, sagte Volker.

»Nun ja«, sagte Kühnert.

»Also ...« sagte Volker, »eigentlich wollte sie ...«

»Na, sie wollte zum Großmufti.«

Max fühlte, wie sein Gesicht sich bewölkte. Der Großmufti war der Leiter des Ressorts für Politik, und daß Vera bei ihm vorsprach, ohne ihn auch nur zu informieren, war ihm gar nicht recht. Aber so war sie, ein Energiebündel, die jedem die Tür einrannte, der ihr in den Sinn kam. Eigentlich wäre sie die ideale Journalistin gewesen, mit ihrer Hemmungslosigkeit. Im Vollgefühl ihrer weiblichen Strahlkraft unterstellte sie einfach, daß sie überall willkommen war. Interessiert beobachtete Volker, wie das Gedankenchaos hinter Maxens Stirn in seinem Gesicht den Ausdruck der Ratlosigkeit hinterließ.

»Hast du denn gar nicht gewußt, was sie vorhatte?«

Max wedelte vage mit der Hand. »Vera hat immer so viel vor …«

»Ich dachte, sie hatte die Idee von dir.«

Wenn du Arschloch doch endlich sagen würdest, von welcher Idee du redest, dachte Max, aber laut sagte er: »Von mir?«

»Na ja, ich habe es auch nicht so ganz verstanden, aber sie hat da diesen Chef, Professor Sowiewas …«

»… Ukena.«

»Richtig, Professor Ukena. Ist das ein friesischer Name? Jedenfalls ist der in irgendeiner Uni-Kommission, die hat ihn zum Leiter der Aktion ›Wissenschaft für die Öffentlichkeit‹ ernannt. Da sollen die Geistes- und Sozialwissenschaften der Öffentlichkeit öffentlichkeitswirksam ihre Existenzberechtigung nachweisen … verstehst du? Sie sollen der Öffentlichkeit zeigen, was sie für einen öffentlichen Nutzen haben … Was ich sagen will …«

»Ich habe mich immer gefragt, wie einer, der so klar schreibt, so konfus reden kann«, unterbrach Kühnert. »Kurz und gut, sie wollte, daß ihr Professor bei uns im *Star* etwas zu unserer Aktion ›Horoskope der Politiker‹ schreibt. Damit soll vorgeführt werden, daß die Wissenschaft auch etwas zur Astrologie zu sagen hat. Mit einem Wort, die wollen sich an unsere Horoskop-Aktion dranhängen. Und du mußt sie auf diese Idee gebracht haben, sonst wüßten sie ja gar nichts davon.«

»Unsinn, Bodo! Max ist doch gegen die Aktion.«

Max sah sie erschrocken an. »Ist das denn jetzt beschlossen?«

»Jipp«, Kühnert wurde professionell. »Par ordre de mufti. Unser erstes Opfer ist ... na, wer ...? Jawohl ...«

»... der Ministerpräsident und Kanzlerkandidat Dr. Otto Krieger«, sagten alle drei im Chor. Dann fischte Kühnert einen braunen Umschlag aus dem Papierhaufen auf seinem Schreibtisch: »Hier sind seine Daten, Geburtstag und Jahr, Geburtsstunde, Aszendent, Mondphase.« Er schielte in den Umschlag. »Ich habe deiner Freundin natürlich nicht gesagt, um wen es sich handelt, aber sie wollte unbedingt wissen, in welchem Tierkreiszeichen der Kandidat geboren wurde. Ich hab mich schon gewundert, weil du doch so ein fanatischer Feind der Astrologie bist, daß sie an das Zeugs glaubt ...«

»Natürlich glaubt sie nicht dran! Von ihr weiß ich doch, daß die Astrologie im Spätmittelalter und der Renaissance wiederentdeckt wurde, und zwar in Reaktion auf den Buchdruck ...«

»Von wegen, nicht glauben! Als ich ihr das Tierkreiszeichen nannte – es ist der Stier –, wurde sie ganz jibberig.«

»Das Wort jibberig gibt es nicht«, warf Volker ein.

»Wenn ich ein Wort gebrauche, gibt es das auch. Also

sie wurde ganz jibberig – Max versteht sehr gut, was ich meine – jibberig wurde deine Freundin, verstehst du. Und noch jibberiger wurde sie, als ich das Geburtsdatum nannte. Weißt du, warum?«

»Dazu müßtest du mir das Datum sagen.«

»Der 23. April.«

»Oh ja«, sagte Max.

»Oh ja? Oh ja? Ja, was? Was hat es auf sich mit dem 23. April?«

»Na, das ist Shakespeares Geburtstag. Und Vera schreibt eine Doktorarbeit über all die Fanatiker und die Irren, die beweisen wollen, daß Shakespeare nicht existiert hat.«

»Was?« Kühnert und Volker hatten unisono gesprochen.

»Und?« fuhr Volker stellvertretend für beide fort. »Wer hat seine Werke verfaßt? Prinz Hamlet als Ghostwriter?«

Max mußte lachen. »Ja, ein Adliger wäre den meisten von diesen Sektierern am liebsten. Und zwei der drei Kandidaten sind es auch. Sir Francis Bacon, später Lordrichter, und Edward de Vere, 17. Earl von Oxford.«

»Und wer ist der dritte Kandidat?«

»Ah ja, der dritte, das ist der Dramatikerrivale Christopher Marlowe, der ermordet wurde und als Shakespeare wieder auferstand und weiterschrieb.«

»Und, ist da was dran?«

»Alles Mumpitz. Das Ganze ist ein Mythos, der nach dem Muster der Mythologisierung von Kulturheroen funktioniert. Ein Kulturheros ist immer ein Double seiner selbst, zugleich sozial niedrig und hoch geboren, zugleich Knechtsgestalt und Gott, zugleich armer Jude und Pharaos Günstling wie Moses, zugleich Hirte und Königssohn wie Paris oder Ödipus. In gleicher Weise doubeln die Mythomanen den bürgerlichen Dichter William Shakespeare durch einen wohlgeborenen Edlen aus aristokratischem Hause.«

»Und du garantierst uns, daß es diesen Shakespeare also wirklich gegeben hat?«

»Absolut. Aber was hat der mit der Horoskop-Aktion zu tun? Wie soll die übrigens gehen?«

»Na, wie wir das auf der Konferenz besprochen haben. Wir schicken die Daten von dem Krieger diesem Astrologen Bramah …«

»… Naphta.«

»Richtig, Naphta. Natürlich ohne zu sagen, wer das ist, dem er das Horoskop stellt. Zugleich kündigen wir das Verfahren im *Star* an. Dann stellt Naphta das Horoskop, und wir veröffentlichen es zusammen mit Kriegers Personality-Feature über Lebenslauf und Person und den ganzen Blablabla. Und dann können die Leute sehen: erstens, ob das Horoskop richtigliegt, und zweitens, ob der Krieger der richtige Kanzlerkandidat ist, und drittens, ob der Großmufti recht hat mit seiner astrologischen Prognose, daß die Auflage des *Star* in die Höhe geht.«

»Eine seriöse Zeitung wie der *Star* sollte keine Geschäfte mit der Irrationalität machen!« sagte Max steif.

»Erstens sind wir keine seriöse Zeitung. So etwas ist überhaupt ein Widerspruch in sich. Und zweitens irrst du dich über die Irrationalität der Astrologen, die sind genauso rational wie du und ich, wahrscheinlich sogar rationaler. Ständig müssen sie die Zukunft so voraussagen, daß sie nicht später widerlegt werden können oder bereits widerlegt worden sind. Nimm zum Beispiel das Horoskop von Krieger, das der Naphta in unserem Auftrag stellen wird. Auch ich kann in den Sternen lesen und weiß bereits jetzt, wie es ausfallen wird. Soll ich's sagen?« Als beide nickten, fuhr er fort: »Es wird folgendermaßen lauten.« Er schloß die Augen und mimte den Seher: »Die unbekannte Person ist ein Künstler oder ein Politiker. Wenn er ein Künstler ist, neigt er zum Dramatischen. Wenn er ein Politiker ist, zum Künstlerischen. Er hat ein weites Herz und versteht die Menschen und ihre Motive. Er kann sich in jede Rolle versetzen und die Berechtigung jeder Perspektive einsehen. Er ist außerordentlich sprachbegabt, ein guter Redner oder Schreiber. Er hat die Gabe, die Menschen zu verzaubern. Er ist schöpferisch, verfügt über eine ungemein fruchtbare Phantasie, und sein Vorname könnte William heißen …«

»Du meinst, er legt seinem Horoskop das zugrunde, was er über Shakespeare weiß?«

»Na klar!« Kühnert hatte seine Augen wieder geöffnet. »Das muß er doch, weil es genug Leute im Publikum gibt, die Shakespeares Geburtstag kennen und daran die Glaubwürdigkeit des Sternenguckers überprüfen. Ich wette, diese Astrologen haben Kalender mit allen Geburtstagen der Prominenten aus Geschichte und Gegenwart. Und ihre Horoskope richten sie danach aus. Sie sind rückwärtsgewandte Propheten. Ha!« kreischte er plötzlich. »Ein Bonmot, sagt man das nicht über die Historiker? Ja, die Astrologen sind Historiker, sie gelten nur nicht als solche, weil sie davon ausgehen, daß sich die Geschichte immer wiederholt.« Plötzlich griff er zum Telefon und drückte auf einen Knopf. »Bärbel? Ja, ich bin's. Bist du mal so lieb und holst mir mal den ›Ulysses‹ von Joyce aus der Bibliothek? Danke dir, Schatz.« Er legte wieder auf. »Die Literaten sind da auf meiner Seite.« Damit griff er nach dem Umschlag mit Kriegers Daten und klopfte darauf. »Ein Dramatiker manqué, ein zweiter Shakespeare, so wie Shakespeare auch einen guten Politiker abgegeben hätte. Haben wir nicht Richard III. von ihm, Jago, Julius Caesar, Oktavian und die ganze Reihe der politischen Fehlschläge, Coriolan, Hamlet, Macbeth, Brutus, eine einzige Serie mit Lesebuchbeispielen, wie man es nicht machen soll. Alles Leute mit dem gleichen Horoskop. Ah, danke, mein Schatz.« Bärbel, genannt »die Perle«, gab ihm den ›Ulysses‹, und er blätterte und blätterte und blätterte und murmelte: »Verflucht, wo ist es denn? Meine Lieblingsstelle. Sie geht so ähnlich wie – ah, hier ist sie, und das über Shakespeare: ›In der äußeren Welt fand er als wirklich, was in der inneren Welt möglich war.‹ Maeterlinck sagt: ›Verließe Sokrates heute sein Haus, er fände Sokrates auf seiner Schwelle sitzen. Ginge Judas heute abend aus, er würde zu

Judas gehen. Jedes Leben ist viele Tage, Tag um Tag. Wir gehen durch uns selbst, begegnen Räubern, Geistern, Riesen, Greisen, Jünglingen, Frauen, Witwen, Brüdern-in-Liebe, aber immer begegnen wir uns selbst.‹« Er schwieg triumphal, als ob die beiden Zuhörer von derselben semantischen Epiphanie überwältigt sein müßten, die auch einst Kühnert überwältigt hatte. Aber sie blieb sein Geheimnis. Sie sahen sich ratlos an. Die Rakete hatte nicht gezündet.

»Wer war das jetzt, den du zitiert hast, Joyce oder Maeterlinck?«

Kühnert starrte sie wütend an. Er hatte ihnen seine Herzkammer geöffnet, und sie hatten nur Leere gesehen. »Ach, leckt mich am Arsch!« Er stand wütend auf und ging weg. Dann kam er wieder zurück, nahm den braunen Umschlag, warf ihn vor Volker auf den Schreibtisch. »Den sollst du heute dem Naphta bringen. Und laß ihn versiegeln.« Er wandte sich hoheitsvoll ab und schritt »Banausen, Arschlöcher, Spießer« murmelnd von dannen.

Volker ignorierte ihn und starrte böse den Umschlag an. »Scheiße! Erst soll ich nach Kiel, diesen Staatsanwalt interviewen, und nun halst er mir gleichzeitig diesen Astrologie-Typen auf.«

Da entdeckte Max seine Kollegialität. »Laß man, wenn es bei dir zeitlich klemmt, erledige ich das für dich. Du schuldest mir dann einen.«

Volker sprang auf. »Oh, würdest du das tun, Max? Das wäre wirklich prima. Tausend Dank, du bist ein wahrer

Freund.« Und er verschwand schneller, als Max den Umschlag vom Schreibtisch nehmen konnte. Ein brauner Umschlag mit den Daten des Ministerpräsidenten und Kanzlerkandidaten Otto Krieger, geliefert von seiner Frau, die nicht an Astrologie glaubte.

Eine Woche später herrschte in der Redaktion eine eigenartige Stimmung. Elektrizität lag in der Luft. Der schwere Geruch von Schuld und Verfehlung breitete sich aus. Max konnte sich gar nicht auf seinen Artikel über die Hamburger Drogenpolitik konzentrieren. Immer wieder hob er seinen Blick vom Bildschirm und richtete ihn auf die Bürotür des Großmufti. Hinter ihr war vor einiger Zeit Kühnert verschwunden. Nach einer halben Stunde war er wieder aufgetaucht und hatte Max mit einem Ausdruck angesehen, als habe der sich in ein ekelhaftes Insekt verwandelt. Max erschrak, als die Tür wieder aufging und er seinen meditativen Blick auf die fettliche Gestalt von Kühnert einstellen mußte, dessen Hosenboden heute noch tiefer zu hängen schien als sonst. Er sah ihn an wie seine Mutter, wenn er »unanständig gewesen war«.

»Kannst du mal eben reinkommen?«

Seine Stimme hatte den Ton eines tragischen Schmierenschauspielers angenommen. Drinnen saß wie ein heidnisches Idol aufrecht hinter seinem Schreibtisch der Großmufti und versuchte, seine Augen in Dolche zu verwandeln. »Hier, lesen Sie.«

Es war ein frisches Exemplar des *Star* mit dem Horoskop von Krieger. Max las: »Die Persönlichkeit ist im Tierkreiszeichen des Stier geboren, allerdings in der kritischen Phase des Übergangs vom Widder zum Stier. Der Aszendent ist Skorpion. Deshalb handelt es sich nicht um einen typischen Stier. Es fehlen völlig die Neigung zum Wohlleben, das Sicherheitsbedürfnis, die Beziehung zum Geld sowie die Schweigsamkeit. Vielmehr handelt es sich bei der unbekannten Persönlichkeit um einen Mann, mit außerordentlicher Willensstärke und charismatischer Begabung. Unwillig, sich unterzuordnen, neigt er zum Einzelgängertum, bis eine Krise ausbricht, dann zeigen sich seine Führungsqualitäten, und er bietet sich mit Erfolg als derjenige an, der das Volk aus der Krise herausführen kann. Seine Gefährlichkeit besteht darin, daß er das weiß und deshalb imstande ist, eine Krise herbeizuführen, um von ihr an die Schalthebel der Macht getragen zu werden ...«

Max sah auf und schaute erst den Großmufti und dann Kühnert fragend an. Beide schwiegen zurück.

»Ist irgend etwas daran nicht in Ordnung?«

Der Großmufti sah Kühnert an und sagte in einem unnatürlich hohen Diskant: »Ist irgend etwas daran nicht in Ordnung? sagt er.« Dann schrie er: »Daran ist gar nichts in Ordnung«, und plötzlich liebenswürdig: »Hören Sie, Eschborn, Bodo hat mir berichtet, was Sie vor einer Woche besprochen haben. Wir haben alle ein anderes Horoskop erwartet. Wir durften ein anderes Horoskop erwarten.« Damit lehnte er sich zurück.

Max murmelte: »Ich weiß, aber ich war gleich gegen die

Aktion. Was können Sie von so Astrologen schon erwarten?«

»Ah, Sie geben also zu, gegen die Aktion ›Horoskop für Politiker‹ gewesen zu sein?«

»Daraus habe ich nie ein Hehl gemacht! Damit spielt man mit den Zukunftsängsten der Leute, man leistet dem allgemeinen Irrationalismus Vorschub. Statt diesen New-Age-Blödsinn zu verstärken, sollten wir lieber ...«

»Warum haben Sie Volker die Aufgabe abgenommen, den Umschlag mit Kriegers Daten an Naphta zu überstellen?«

»Weil er mich darum gebeten hatte. Wieso fragen Sie? Ist etwas nicht ...?«

»War der Umschlag verschlossen, als Volker ihn Ihnen gab?«

»Verschlossen ja, aber nicht versiegelt. Wieso? Ist ...?«

Der Großmufti wandte sich an Kühnert: »War der Umschlag verschlossen, als Sie ihn Volker gegeben haben?«

»Ich glaube schon, aber beschwören kann ich es nicht.«

»Und Sie haben ihn dann versiegeln lassen, ja, in der Poststelle?«

Max nickte.

»Und dann?«

»Dann habe ich ihn einem Boten gegeben, der ihn Naphta persönlich überreicht hat.«

Kühnert fuhr hoch: »Was?! Du hast ihn nicht persönlich überbracht? Du hast ihn einem Boten gegeben?«

»Ja, was war denn dabei? Der Umschlag war doch versiegelt, und diese Boten sind doch viel schneller. Darf ich fragen, warum ich diesem Kreuzverhör unterzogen werde?«

Die Herren schienen ihn nicht gehört zu haben.

»So wäre es auch möglich«, sagte Kühnert.

»Ja, dann müssen wir ...«

»Eigentlich würde ich gerne wissen, was los ist.«

Der Großmufti sah Kühnert an, und dann ließ er seinen Blick lange auf Max ruhen. Er versenkte sich geradezu in seinen Anblick. »Ich kann einfach nicht sehen«, begann er schließlich, »ob Sie den Unschuldigen spielen oder ob Sie es sind. Bodo, Herr Kühnert«, verbesserte er sich, »hat mir davon berichtet, daß Sie miteinander darüber gesprochen haben, daß ein Shakespeare-Horoskop zu erwarten wäre. Finden Sie in diesem Horoskop die Züge Shakespeares wieder?«

»Nun, wir wissen über Shakespeare fast nichts ...«

Da explodierte der Großmufti. »Jetzt kommen Sie mir nicht mit diesem Stuß. Wir wissen sehr viel über ihn. Wir wissen, daß er ein begabter Stückeschreiber war und nicht ein charismatischer Politiker, der auf eine Krise wartete. Was immer wir von Shakespeare wissen oder nicht wissen, er war nicht Lenin.«

»Lenin?«

»Ja, Lenin. Ein russischer Revolutionär. Vladimir Iljitsch. Entscheidender oder sogar einziger Stratege der Oktoberrevolution ...«

»Ich weiß, wer Lenin war.«

»Tatsächlich? Und deshalb haben Sie die Daten von Herrn Krieger absichtlich um einen Tag verschoben und statt des 23. April den 22. April angegeben?«

»Ah, jetzt verstehe ich«, Max wandte sich an Kühnert. »Dann hast du schon recht gehabt. Der Naphta hat das Horoskop einer historischen Figur gestellt, aber statt den 23. für Shakespeare hat er den 22. für Lenin zugrunde gelegt. Das ist doch der Geburtstag von Lenin?«

Der Großmufti blickte ihn böse an.

»So, das verstehen Sie? Dann verstehen Sie vielleicht auch, was das bedeutet?«

»Was das bedeutet?«

»Ja, was das bedeutet, was das für Konsequenzen hat. Gehen Sie mal in die Poststelle, und hören Sie sich die Anrufe aus dem Lager der Opposition an. Wir stellen ihren Kandidaten als gefährlichen Demagogen dar, als einen skrupellosen Machtmenschen, der um seines eigenen Aufstiegs willen das Land in eine Krise stürzt. Einen zweiten Lenin.«

»Aber ich bitte Sie!« Max hatte sich gefaßt und gewann langsam Oberwasser. »Es ist doch nur ein Horoskop, der reinste Blödsinn!«

Da schrie der Großmufti: »Aber die Leute glauben an Horoskope!«

»Na, ich habe ja dazu geraten, die Finger davon zu lassen!« Max grinste.

Es klopfte, und Bärbel, »die Perle«, betrat das Zimmer. In der Hand hielt sie einen Umschlag; unschlüssig, ob sie ihn ihrem eigenen Chef, Kühnert, oder dessen Chef geben

sollte, wedelte sie mit dem Brief hin und her, bis der Großmufti ihn ihr aus der Hand riß. »Nun geben Sie schon
her!«

»Freundlich sind wir heute mal wieder«, sagte Bärbel
hoheitsvoll und warf ihrem eigenen Chef ob dessen Feig-
heit einen verächtlichen Blick zu. Als Kühnert zwinkerte,
lachte sie laut auf und verließ das Büro. Inzwischen hatte
der Großmufti den Umschlag aufgerissen und sich stirn-
runzelnd in das Schreiben vertieft.

»Hört euch das an«, sagte er und las vor: »Wenn ihr das
Schreiben erhaltet, ist das Tier schon erlegt. Die Zahl des
Tiers im Genitiv ist die Zahl des Mannes. Und die ist 600
bis zur Verderbnis minus A. Das ist die Botschaft des
Sterns, die Sterne haben es so gewollt.«

»Irgendeine Unterschrift?«

»Keine Unterschrift, aber als Überschrift: ›Der Unsichtbare an die Blinden‹.«

»Ein Verrückter.«

»Sicher ein Verrückter. Aber wir müssen den Krieger
warnen.« Der Großmufti griff zum Telefon und wählte.

»Wovor warnen?«

»Daß er seine Leibwächter auf die Irren aufmerksam
macht.«

»Ist das nicht etwas übertrieben?« fragte Kühnert.

Der Großmufti wandte sich dem Hörer zu. »Frau
Geißler, wären Sie wohl so nett und verbinden mich mit
dem Ministerpräsidenten von Niedersachsen, Dr. Krieger?
Das ist lieb. Ja, bei mir im Büro.« Dann legte er auf und

vertiefte sich noch mal in das Schreiben. Kühnert und Max hatten den Schreibtisch umrundet und schauten ihm über die Schulter.

»Kann einer von euch darin die Spur eines Sinns entdecken?«

Ehe sie antworten konnten, läutete das Telefon. Der Großmufti nahm ab. Sie hörten, wie er »Ja, hallo« sagte, und dann wurde er käsebleich. Nach einer Weile sagte er mit einer völlig veränderten Stimme: »Wo?« Er krächzte, als er das sagte, und mußte einen zweiten Anlauf nehmen, ehe er seine Stimmbänder aus dem Gelee des Schreckens befreit hatte. »Wo?« Dann legte er so behutsam auf, als wäre das Telefon aus Glas.

»Krieger ist in seinem Auto auf einem Autobahn-Parkplatz gefunden worden. Erwürgt.«

»Was?!«

»Mit einer Drahtschlinge.«

Max wußte nicht so recht, wie er sich die Wohnung eines Astrologen vorgestellt hatte. Wohl so ähnlich wie Fausts Studierstube, voller Astrolabien, chaldäischer Sternsymbole, ptolemäischer Kosmologiemodelle, babylonischer Piktogramme, hermetischer Zeichen, kryptischer Tabellen, geometrischer Figuren, Kreuztabellen, Wörterlisten, Himmelsdarstellungen, lederner Folianten und ausgestopfter Fledermäuse. Statt dessen saß er Herrn Naphta in einer biederen bürgerlichen Wohnstube gegenüber. Zwischen einem grünen Sofa an der Wand und dem Sessel, in dem er selbst saß, stand einer dieser halbhohen Tische, an denen man sich immer die Schienbeine stößt. In seinem Rücken befand sich ein wandfüllendes Bücherbord, das er zu gerne auf seinen Inhalt hin untersucht hätte, aber der erste Eindruck hatte nach ungelesenen Klassikern ausgesehen. Zu seiner Rechten blickte man durch ein großes Fenster in einen tief verschatteten Kleingarten. Das spärliche Licht mußte sich durch einen Dschungel von Topfpflanzen kämpfen, der die Fensterbank bedeckte. Und das Restlicht, das es schließlich bis ins Wohnzimmer schaffte, ließ den Raum aussehen wie das Innere eines Aquariums: grünlich und wäßrig. Ein Beitrag zum Wettbewerb »Wir entwerfen das ungemütlichste Wohnzimmer« hätte gegen diese Bude kaum eine Chance gehabt.

Herr Naphta war ein rundliches Herrchen vom Zuschnitt eines Versicherungsvertreters, der sich als Fernsehmagier versucht. Alles an ihm hatte einen Zug ins Schwungvolle erhalten. Seine Stirn zierte eine extravagante Haarwelle. Seine Figur wurde von einem seidenen Hausmantel umhüllt, der wohl auch als Arbeitskleidung dienen mochte. Seine fetten Finger waren mit ebenso fetten Gold- und Wappenringen besetzt, und auf seinem Gesicht schwebte wie eine rosa Wolke das fette Lächeln eines Barockengels.

»Habe ich recht verstanden, Sie kommen vom *Star*? Ist das nicht eine wunderbare Reklame für uns beide?« Plötzlich verschwand das Putto-Lächeln so blitzschnell wie eine

Maus. »Natürlich bedauert niemand mehr als ich diesen furchtbaren Mord!« Dann war das Strahlen ebenso schnell wieder da. »Aber wir in unserer Zunft und Sie in Ihrer – wir sind keine Heuchler. Wir haben es mit Menschenschicksalen zu tun. Da wird gegeben und genommen. Wat dem einen sin Uhl ... Habe ich recht? Im Rad des Schicksals ist man mal unten, mal oben. Vielleicht glauben Sie ja nicht an die Sterne, aber es war nun mal für ihn bestimmt, im Buch des Lebens. Niemals frage danach, wem die Stunde schlägt. Sie schlägt vielleicht für dich. Habe ich recht? Es war ihm bestimmt ...«

»Und warum haben Sie dann die Katastrophe nicht vorausgesehen und ihn gewarnt?«

Das war definitiv nicht der Ton, den Herr Naphta erwartet hatte. Seine Stimme gefror plötzlich zu Eis.

»Was wollen Sie?«

»Ein Geschäft, das für uns beide von Vorteil ist. Versuchen Sie mich bitte vorurteilsfrei anzuhören. Dazu muß ich allerdings eine Frage stellen: War die Polizei schon bei Ihnen?«

Naphta schüttelte unmerklich den Kopf.

»Aber Sie wissen, daß die Daten in dem Umschlag vertauscht worden sind?«

Diesmal nickte Naphta unmerklich.

»Gut. Ich komme im Auftrag der Person, die die Daten vertauscht hat.«

Ruckartig stand Naphta auf. »Verlassen Sie sofort mein Haus! Mit so etwas will ich nichts zu tun haben! Ich habe das Horoskop in gutem Glauben gestellt, und ich werde der Polizei melden, daß Sie bei mir waren. Ich bitte Sie, jetzt zu gehen.«

Max war ruhig sitzengeblieben.

»Das können Sie sich nicht leisten«, sagte er. Er sah, wie Naphta unsicher wurde. »Setzen Sie sich hin, ich kann nicht die ganze Zeit nach oben starren.«

Naphta setzte sich wieder. »Was meinen Sie damit: Das kann ich mir nicht leisten?«

»Sie haben das Horoskop von Lenin gestellt, das ist doch offensichtlich.«

Naphta krähte vor Lachen. »Oh, damit wollen Sie mir kommen? Ha ha ha, das sticht nicht. Ha ha ha, was bilden Sie sich ein! Das ist ganz zunftüblich, das machen alle Astrologen. Natürlich beziehen wir die Kenntnis historischer Persönlichkeiten bei unseren Gutachten mit ein. Ha ha ha, wollten Sie mich etwa damit erpressen?«

»Sie geben also zu, daß Sie Lenins Horoskop gestellt haben?«

»Ja natürlich, das können Sie von mir schriftlich haben. Was heißt hier zugeben? Da gibt's nichts zuzugeben. Das machen alle. Es gibt sogar Lexika mit den Geburtsdaten und Aszendenten bedeutender Persönlichkeiten, damit können Sie mich aber nun wirklich nicht unter Druck setzen.«

»Aber mit Ihrer Unkenntnis.«

»Was meinen Sie damit, Unkenntnis? Kennen Sie sich etwa mit Astrologie aus?«

»Genug, um zu wissen, daß Sie einen kapitalen Bock geschossen haben. Lenin ist nämlich nicht am 22. April geboren worden.«

»Quatsch! Ich habe es mehrfach gecheckt. Schauen Sie doch selbst im Brockhaus nach, da steht es auch. Alle Quellen stimmen da überein.«

»Ja, am 22. April nach dem Julianischen Kalender ...«

Max konnte sehen, wie Naphtas Gesicht fahl wurde. Er ahnte also, worauf er hinauswollte.

»Nach dem Julianischen ...« stammelte er.

» ... Kalender, jawohl«, fuhr Max fort, »der galt nämlich vor der Revolution in Rußland. Aber leider stimmt er nicht mit dem astronomischen Kalender überein. Er geht nach, und zwar ungefähr 13 Tage. Hatten Sie das vergessen? Hatten Sie vergessen, daß die berühmte Oktoberrevolution in Wirklichkeit erst im November stattgefunden hat? Sie haben sich um 13 Tage verhauen. Sie haben Lenins Horoskop in Wirklichkeit für den 5. Mai gestellt, denn das ist der kalendarische Geburtstag des Großvaters aller Werktätigen. Für einen Astrologen ein ziemlicher Schnitzer, finden Sie nicht? Bei der Publizität im Zusammenhang mit dem Tod von Ministerpräsident Krieger dürfte Sie das wohl beruflich erledigen. Schließlich wäre er ohne diesen Fehler nicht ermordet worden.«

Naphta schwieg. Nach einer Weile hob er den Kopf. »Wer will mir nachweisen, daß ich das Horoskop für Lenin gestellt habe? Ich habe es für Krieger gestellt.«

Max griff in seine Jackentasche. Als er die Hand wieder

zurückzog, lag in ihr ein kleines Tonbandgerät. Die Spulen liefen ruhig und gleichmäßig.

Naphta lief rot an. »Sie Schwein …!«

»Seien Sie vorsichtig, was Sie sagen.«

»Das Tonband gilt nicht vor Gericht.«

»Wer spricht vom Gericht? Ich rede vom Fernsehen. Wollen Sie es mal hören?« Max drückte auf die Rewind-Taste, und zwitschernd eilte die Spule zurück. Dann lief sie wieder langsam vor, und sie hörten sich selbst: »Sie geben es also zu, daß Sie Lenins Horoskop gestellt haben?« »Ja natürlich, das können Sie von mir schriftlich haben. Was heißt hier zugeben? Da gibt's nichts zuzugeben. Das machen alle. Es gibt sogar Lexika mit den Geburtsdaten und Aszendenten bedeutender Persönlichkeiten damit …« Max schaltete den Recorder wieder aus und steckte das Gerät in die Jackentasche. Als es verschwunden war, fragte Naphta ruhig: »Was wollen Sie?«

»Einen Tausch. Sie geben mir den Umschlag mit den Lenin-Daten, und Sie bekommen von mir den Umschlag mit den richtigen Daten.«

»Und wie soll ich erklären, daß ich den 22. und nicht den 23. genommen habe?«

»Sie haben nicht den 22. genommen.«

»Wie bitte?«

»Lassen Sie mich erklären. Sie haben doch Ihr Horoskop selbst zu uns gefaxt?« Als Naphta nickte, fuhr Max fort: »Ich habe mir das Fax angesehen, da ist die 22 nur ganz undeutlich zu lesen. Jetzt habe ich noch etwas nachgeholfen und geknautscht, da kann es genausogut eine 23 sein. Dann hat unsere Sekretärin einen Fehler beim Abschreiben gemacht. Sie aber haben für den 23. eben das Horoskop gestellt, das Sie gestellt haben. Das mag zwar unplausibel klingen, aber Sie haben ja Ihre Unterlagen, um es zu belegen.« Max klopfte auf seinen Umschlag. »Damit sind Sie wenigstens von Lenin herunter und aus dem Schneider. Wenn Sie darauf eingehen und wir den Tausch durchführen, lösche ich vor Ihren Augen das Tonband. Dann kann Ihnen keiner an den Karren fahren.«

»Und wie bringe ich das Horoskop mit Shakespeare zusammen? Sie wissen doch, daß ich am 23. auf Shakespeares Geburtstag lande?«

Max nickte. »Der Shakespeare war ein verhinderter Politiker, sprachbegabt und ein guter Redner. Um Intrigen zu planen, muß man ein toller Stratege sein, wie Lenin. Er verstand was von Politik: Gucken Sie sich Jago, Richard III., Julius Caesar, Coriolan, Antonius und Kleopatra an. Und was ist ein Drama anderes als eine Krise? Der Lenin paßt auch auf Shakespeare; außerdem sehen sie sich sowieso ganz ähnlich.«

Naphta sah Max anerkennend an. »Sie sind wohl ein ganz Ausgebuffter. Wollen Sie bei mir Assistent werden?«

»Ich will Ihren Umschlag.«

Naphta zögerte. »Herrgott, was mache ich jetzt wieder für einen Fehler!«

»Sie machen einen Fehler, wenn Sie mir den Umschlag nicht geben.«

Naphta sah ihn eine lange Zeit an. Schließlich sagte er: »Legen Sie das Tonband auf den Tisch.«

»Holen Sie den Umschlag, und legen Sie ihn auf den Tisch, dann lege ich das Tonband daneben. Und den Umschlag mit den richtigen Daten auch.«

Und so geschah es. Wie zwei Hunde, die sich vorsichtig und steifbeinig umkreisen, um bei der geringsten falschen Bewegung übereinander herzufallen, vollzogen sie langsam und lauernd den Tausch. Als es geschafft war, ging Naphta zu seinem Bücherbord, schob ein paar Klassiker beiseite, holte einen Whisky hervor und goß ihnen zwei Gläser ein.

»Nastarowje«, sagte er.

»Auf die Sterne«, sagte Max.

Langsam, ganz langsam, tauchte Max aus den tiefen Wassern des Schlafs nach oben. Bevor er die Oberfläche durchbrach, hörte er in der Oberwelt schon gewaltiges Treiben. Es ging von der Präsenz aus, die unter der Decke so warm und kuschelig strahlte: ein weiblicher Körper. Aber über der Decke entfaltete er eine befremdliche Aktivität. Da raschelte laut eine Zeitung, und ein kauender Mund ließ einen Strom von Worten aus sich herausfließen: »... dein Kollege Kühnert ist ja ein richtiger Mistkerl! Er hat so etwas Schnödes. Ich habe ihm unser Konzept ›Öffentliche Wissenschaft‹ auseinandergesetzt, und dieser Affe hat nichts als gekichert. Wie eine alte Vettel. Außerdem hat er einen schrecklichen Hängearsch.« Wieder ein ohrenbetäu-

bendes Zeitungsgeraschel. »Oh, sieh mal hier die Überschrift:

›**Kriegers Horoskop doch korrekt: Falsches Datum
war Übermittlungsfehler des Fax.**‹

›Wie die Polizei inzwischen ermittelt hat, besteht offenbar kein Zusammenhang zwischen dem Mord an Ministerpräsident Krieger und dem Horoskop, das der Astrologe
Nico Naphta im Auftrag des *Star* gestellt hat. Der Verdacht, daß jemand Kriegers Daten gegen die von Lenin
vertauscht hatte, um den Kanzlerkandidaten in den Augen
seiner Wähler zu diskreditieren, hat sich in nichts aufge-
löst: Naphta bestätigte gegenüber der Polizei, daß er die
Originalunterlagen Kriegers mit dem richtigen Geburtstag, dem 23. April, in einem versiegelten Umschlag erhalten hatte, und konnte sie vorlegen. Das falsche Datum des
22. April, das den Verdacht ausgelöst hatte, beruht auf einem Übermittlungsfehler des Faxgeräts.‹

Na, da mußt du ja beruhigt sein.« Vera rüttelte an Maxens Schulter. »He, Faulpelz, bist du jetzt beruhigt?«

Max war längst in der Oberwelt der Wachheit angekommen; der Text hatte ihn mit einem Ruck aus dem Wasser gezerrt und seine Nerven in Vibrationen versetzt. Aber
um sich nichts anmerken zu lassen, tat er so, als ob er noch
schliefe.

»Die haben dich doch im Verdacht gehabt. Erzähl mir
nicht, daß die dich nicht im Verdacht gehabt haben. Du
hattest als letzter die Daten in der Hand, du hattest ein
Motiv …«

»Wieso hätte ich den Krieger diskreditieren wollen?« murmelte Max.

»Sag mal, hältst du mich für blöd? Wer redet von Krieger? Du wolltest die Astrologie diskreditieren. Hast du nicht aller Welt Vorträge darüber gehalten, daß dieser Sternenglaube einen Rückfall in den Irrationalismus bedeute? Daß dieser Irrationalismus gefährlich, weil tendenziell paranoisch sei? Daß es einen Zusammenhang gebe zwischen der astrologischen Welle der frühen Neuzeit und den Juden- und Hexenverfolgungen? Daß unser heutiger Astroglaube aus alten faschistischen Sümpfen erwachse? Hast du das nicht gepredigt, bis deinen Zuhörern vor Langeweile die Ohren abgefallen sind? Also spiel nicht den Unschuldigen. Natürlich hattest du ein Motiv, und das konntest du diesmal sogar wunderbar hinter dem scheinbar offensichtlichen Motiv, Krieger zu diskreditieren, verstecken.«

Max grunzte etwas, das wie »Blödsinn« klang.

»Und dann hast du dich erboten, dem Volker den Auftrag abzunehmen, ... he«, rief sie plötzlich, als ob ihr eine neue Erkenntnis aufgegangen wäre, »das tust du doch sonst nicht, daß du freiwillig jemandem eine Besorgung abnimmst, das ist doch ganz untypisch für dich. Mein Gott, du hast tatsächlich dem Naphta Lenins Daten untergejubelt! Aber wie hast du ihn nachher dazu gebracht, das Gegenteil zu behaupten? Warte, was würdest du tun? Ich kenn dich doch. Laß mich nachdenken. Wenn der Naphta noch die falschen Daten hätte, würdest du dann zu ihm gehen und sie gegen die richtigen wieder austauschen? Ja, das würdest du tun. Du würdest dich mit einem Reportertrick bei ihm einschleichen. Du hättest die richtigen Daten in einem Umschlag dabei, dann gucktest du dich in seinem Arbeitszimmer um: Richtig! Da liegt der Umschlag mit den falschen Daten auf seinem Schreibtisch. Dann müßtest du den Naphta nur noch mit einem Vorwand aus dem Zimmer kriegen. Wie würdest du das machen? Du würdest seiner Eitelkeit schmeicheln, ihm erzählen, im Anschluß an die Horoskop-Aktion wolltet ihr im *Star* ein Feature über ihn bringen. Mit dieser Behauptung hast du dich überhaupt bei ihm eingeschlichen. Ja, und dann bittest du ihn um ein neues Foto von sich. Er geht für eine Minute raus, um das Foto zu holen, in der Zeit tauschst du die Umschläge aus, er kommt zurück und gibt dir das Foto, du schwätzt noch eine Weile über seine interessante Persönlichkeit und die Astrologie und verschwindest dann. Du bist sagenhaft erleichtert, kommst nach Hause, fühlst dich euphorisch, dir ist nach Feiern zumute, du rufst mich an, ob ich mit dir eine alte Flasche Achkarrer Spätburgunder leere, ich komme, wir stürzen ab und landen im Bett. Aber dann hast du auch den Umschlag irgendwo hier rumliegen, schlampig wie du bist. Hast du ihn …« Sie stand auf und trippelte auf nackten Zehen durch die Wohnung. »Ah, hab ich's doch gewußt, hier ist er ja, du Blödmann. Bin ich nicht ein Sherlock Holmes, oder bin ich das? Was hältst du von meinen detektivischen Fähigkeiten?«

Nackt, wie der Herr sie geschaffen hatte, stand Vera vor seinem Bett und hielt triumphierend den Umschlag mit

Lenins Daten in Händen wie eine verbotene Frucht. Mit ihrem leuchtenden Körper erinnerte sie Max an die Eva auf Hieronymus Boschs Paradiesgärtlein.

»Von diesem Baume sollst du nicht essen«, krächzte er. »Schau nicht in diesen Umschlag. Der Herr hat es verboten. Du kannst es besser machen als deine Vorgängerin.«

Vera schien beeindruckt. Sie zögerte.

»Wenn du da reinguckst, werden wir dafür büßen müssen.«

»Gut. Ich guck nicht rein. Aber der Umschlag enthält die astrologischen Daten eines gewissen sozialistischen Revolutionärs. Habe ich recht?«

»Ich will es nicht ausschließen.«

Sie ging zu seinem Schreibtisch, zog die Schublade auf und sagte: »Sieh mich an. Ich lege jetzt diese verbotene Frucht in die Schublade, damit du weißt, wo sie ist. Und wenn ich du wäre, würde ich die Schublade abschließen.« Mit zeremonieller Gebärde senkte sie den Umschlag in die Lade. Als sie ihre Hand wieder herauszog, hielt sie einen Zettel. »Hey, was haben wir denn hier?« Und sie las: »»Der Unsichtbare an die Blinden. Wenn ihr das Schreiben erhaltet, ist das Tier schon erlegt. Die Zahl des Tiers im Genitiv ist die Zahl des Mannes. Und die ist 600 bis zur Verderbnis minus A. Das ist die Botschaft des Sterns, die Sterne haben es so gewollt.‹ Ist das das Bekennerschreiben des Mörders?«

»Die Polizei nimmt es jedenfalls an. Aber sie hat keinen Schimmer, was es bedeuten soll. Das hat niemand.«

Vera ließ sich selbstvergessen auf dem Schreibtischstuhl nieder und vertiefte sich in die Lektüre des Schreibens. Plötzlich griff sie sich einen Bleistift und einen Zettel und kritzelte wild drauf los. Max sah ihr eine Weile zu: »Was, zum Teufel, machst du da?«

Im selben Moment jubelte sie: »Ich hab es, das mußte ja kommen.« Sie griff zum Telefonhörer, wählte und wartete.

»Wen rufst du an?« fragte Max.

Da meldete sich die andere Seite. »Hier ist Vera, guten Morgen, Professor Ukena. Entschuldigen Sie die frühe Störung, aber ich habe eine Idee für die Aktion ›Öffentliche Wissenschaft‹. Ich habe das Bekennerschreiben im Mordfall Krieger entziffert. Ja, eindeutig. Das ist nicht schwer, nicht für mich. Wieso? Na, der Typ ist von derselben Sorte wie diese Kryptographen, die aus Shakespeares Texten die Geheimbotschaften über die wahre Verfasserschaft herauslesen wollen. Und in der Kriminologie wird doch neuerdings so viel Wesens um das ›Täterprofil‹ gemacht. Na, Sie selbst haben das doch entwickelt, als Sie uns im Kolloquium auf den Zusammenhang zwischen dramatischen Rollenfiguren und Täterprofil hingewiesen haben. Ja, das haben Sie! Erinnern Sie sich nicht mehr? Genau, da wo Sie über den Zusammenhang zwischen bestimmten symbolisch verschlüsselten Szenarios und bestimmten Tätern gesprochen haben. Nun, das könnten wir doch mal öffentlich vorführen. Wir verkünden, daß wir in Ihrer Vorlesung am Dienstag das Täterprofil im Mordfall Krieger darstellen werden. Ich sage der Presse und dem Fernsehen

Bescheid. So wie ich ihn einschätze, kommt dann der Täter auch. Sicher, vielleicht ist es nur ein Trittbrettfahrer, aber wenn Sie das Bekennerschreiben entziffert hätten, würden Sie das nicht mehr glauben. Der meint es ernst. Und diesen Typ identifizieren wir coram publico. Ja, so wie in der Mausefallen-Szene im Hamlet. Na, ich bin der Prinz Hamlet, und Sie sind mein Horatio. Das wird ein Spaß. Nun, ich hatte mir gedacht, Sie machen ein kleines Einleitungsstatement über öffentliche Wissenschaft und was wir beabsichtigen und über den Zusammenhang von der Deutung von Zeichensystemen in der Literaturwissenschaft und der Kriminologie oder über Shakespeare und die Astrologie oder so etwas. Schließlich ist das Ihre Vorlesung, und da müssen Sie als erster reden. Und dann geben Sie mir als Ihrer Assistentin das Wort, und ich entschlüssele vor laufender Kamera das Bekennerschreiben und entwickle daraus das Täterprofil. Und wenn er da ist, und er wird da sein, weil er sich für unsichtbar hält, dann wird er sich verraten, und wir haben gezeigt, was Kulturwissenschaftler können. Sind Sie einverstanden? Professor Ukena! Ich kann Sie plötzlich nicht mehr verstehen. Sie verstehen mich noch? Ja, ich bin in einer öffentlichen Telefonzelle. Also, ich höre Sie nur noch schwach, irgendwas ist mit dem Telefon nicht in Ordnung. Ich gehe also davon aus, daß Sie einverstanden sind, und benachrichtige die Presse. Ah, ich höre Sie ganz schwach. Sie sind einverstanden? Gut. Wiedersehen, Professor Ukena. In Ihrer Vorlesung am Dienstag im Audimax.« Damit hängte sie auf.

Max sah sie bewundernd an. »Du bist wirklich skrupellos. Und? Wer ist es?«

»Komm am Dienstag ins Audimax, da wirst du es selber rauskriegen.«

Am Dienstag im Audimax war es so voll, wie Vera es vorhergesehen hatte. Sie hatte es nur der Polizei, der Presse und dem Fernsehen gemeldet, aber sofort hatte sich das Gerücht in der ganzen Uni verbreitet, in Ukenas Vorlesung gebe es eine sensationelle Enthüllung im Mordfall Krieger.

An sich waren Ukenas Shakespeare-Vorlesungen sowieso gut besucht. Neben den Studenten der verschiedensten Fächer fanden sich auch immer eine Menge Stadtbürger ein, vornehmlich gebildete Hausfrauen oder ältere Bildungsbürger, die sich von Ukenas Shakespeare-Begeisterung hypnotisieren ließen. Und Ukena verstand es, aus den shakespeareschen Texten semantische Zauberwelten entstehen zu lassen, die fremd und faszinierend wirkten wie exotische Paläste, um dann plötzlich eine unauffällige Tür zu öffnen und seine Zuhörer mit sich selbst und ihrer eigenen Welt zu konfrontieren. So machte Ukena aus seinen Shakespeare-Kollegs immer auch Vorlesungen über die Unwahrscheinlichkeit der Moderne. Jedesmal wenn in einem Theater der Stadt ein Shakespeare inszeniert wurde, sah man den Dramaturgen vorher bei Ukena in der Vorlesung.

Auch Max hatte Ukena gelegentlich gehört, weil Vera

ihn dazu gezwungen hatte. »Das ist wie ein Befehl des Himmels«, hatte sie gesagt, »verstehst du, er liest im Audimax, das heißt übersetzt: ›Hör zu, Max‹. ›Audi‹ heißt ›hör zu‹, verstehst du?« Sie hatte echt einen Vogel. Max sah sich um. Die Bankreihen waren fast vollständig besetzt, die Türen waren geschlossen, an den Ausgängen hatten unauffällig Polizisten in Zivil Posten bezogen, und an den Seiten hatten die Fernsehteams ihre Kameras aufgebaut. Als er wieder nach vorne blickte, sah er Vera in der ersten Reihe mit einem befreundeten Assistenten aus dem Historischen Seminar flüstern. Und dann betrat Ukena den Hörsaal und ging stracks zum Podium. Oder sollte man sagen: Er rollte? Denn Ukena glich auf auffällige Weise dem Schauspieler Charles Laughton: dieselbe kugelförmige Gestalt und dasselbe wulstige Gesicht mit den wulstigen Lippen. Nur sein Ausdruck war nicht sauertöpfisch wie bei Laughton, sondern glich dem eines satyrhaften Sokrates: verschmitzt und begeistert zugleich.

Als Ukena sich hinter dem Pult aufgebaut hatte und seine blauen Äuglein über das Audimax schweifen ließ, wurde es ruhig im Saal.

»Meine Damen und Herren«, begann er, »an Ihrer großen Zahl kann ich ablesen, daß Sie das Gerücht erreicht hat, wir würden etwas Licht in die näheren Umstände des Mordes an Ministerpräsident Krieger bringen. Dafür, daß wir das tun können, bin aber nicht ich verantwortlich, sondern meine Assistentin Vera Mussal. Und sie hatte auch die Idee, die Enthüllung heute als Beispiel für ›Öffentliche

Wissenschaft‹ vorzuführen. Wie Sie wissen, hat der Präsident uns ermahnt, unsere Nützlichkeit dem größeren Publikum etwas näherzubringen. Und was wäre da geeigneter als ein Mordfall?

Nun, wir sind Literaturwissenschaftler. Mein Spezialgebiet ist unter anderem William Shakespeare. Wie aber können Leute, die sich mit Shakespeare beschäftigen, zur Lösung eines Mordfalls beitragen, der sich heute ereignet hat? Meine Antwort ist: weil wir wieder in der Shakespeare-Zeit leben.

Der Mord an Ministerpräsident Krieger war irgendwie mit einem Horoskop verknüpft. Vor dreißig Jahren wäre jeder ausgelacht worden, der vorausgesagt hätte, die Leute würden wieder an den Einfluß der Sterne glauben. Und doch ist inzwischen das Unwahrscheinliche eingetreten. Niemand macht sich heute lächerlich, der seinen Tierkreiszeichen Einfluß auf sein Schicksal einräumt. Und die Astrologie ist wieder populär. Das war auch zu Shakespeares Zeit so. Der Glaube an die Sterne nimmt im Spätmittelalter und in der Renaissance nicht etwa ab, sondern zu. Wie kommt das? Nun, die Renaissance erlebt eine Medien-Revolution mit der Erfindung des Buchdrucks. Die alten symbolischen Ordnungen werden entwertet. Zugleich beschleunigt sich die soziale Entwicklung. Es gibt plötzlich mehr Zukunft als vorher. Mehr Zukunft heißt mehr Möglichkeiten, mehr Möglichkeiten bedeutet mehr Wahlfreiheit, mehr Wahlfreiheit und mehr Offenheit bedeuten mehr Ratlosigkeit, mehr Angst, es falsch zu machen, mehr

Sicherheitsbedürfnis, mehr Bedarf an Zukunftsdeutung und Weissagung. So war es damals, und so ist es heute. Und jedesmal kommt es zu einer Renaissance der Astrologie. Der babylonische Kalender hatte die Tierkreiszeichen ursprünglich als Erinnerungsstützen eingeführt. Mit dem Tiersymbol ließen sich die Sternkonstellationen besser behalten.«

Ukena schaltete den Overhead-Projektor an, und in einer erleuchteten Fläche an der Stirnwand des Audimax malte ein Filzstift zehn unregelmäßige Punkte ins Nichts. »Das ist ein unregelmäßiger Haufen von Leuchtpunkten am nächtlichen Himmel. Jetzt verbinde ich die Punkte, und siehe, es kommt so etwas heraus wie die Figur des Stiers. Man übersetzt etwas Chaotisches in eine vertraute Ordnung. Das dient zugleich der Angstbewältigung und dem Gedächtnis. Die Sternzeichen werden zu häuslichen Wegweisern im nächtlichen Meer der Angst. Im Stall steht derselbe Stier wie am Firmament und schnaubt. Bei der Überlastung durch Zukunft wird dann aus der Gedächtnisstütze mit Hilfe der neuplatonischen Philosophie in der Renaissance das System der Astraleinflüsse. Im Ozean der unbekannten Zukunft findet man eine vertraute Figur, die wiederkehrt: der Stier im Stall. Wie Shakespeare, so denkt auch seine ganze Zeit in Analogien: Wer unter dem Stier geboren ist, ist so wie ein Stier. Auch Shakespeare ist unter dem Stier geboren, am 23. April wie Herr Krieger. Wenn wir an die Astrologie glauben, denken wir also nicht mehr wie die Zeitgenos-

sen von Einstein und Habermas, sondern wir denken
wieder wie Shakespeare vor 400 Jahren. Und so hat auch
der Mörder gedacht, denn auch er glaubt an Astrologie.

Ich will nicht allzu lange reden, sondern so schnell wie
möglich das Podium Frau Mussal überlassen. Nur noch
ein Wort zu ihren Prämissen: In einem Doktoranden-Kol-
loquium über Dramentheorie haben wir uns mit dem
Konzept des Szenarios beschäftigt. Und da fiel uns ein
Widerspruch auf: Die moderne Geschichtsschreibung geht
davon aus, daß sich die Geschichte nicht wiederholt; und
die moderne Literatur verbietet geradezu die Wiederho-
lung, wenn sie die Originalität der Geschichten verlangt.
Wenn man aber genau hinsieht, bemerkt man, daß sich in
der dramatischen und auch sonstigen Literatur bestimmte
Szenarien immer wieder finden. Als wir nach einer modernen kulturellen Praxis suchten, die sich mit wiederholba-
ren Szenarien beschäftigt, stießen wir auf die Familienthe-
rapie in der Psychiatrie und auf die Überführung von
Mördern durch die Bestimmung des Täterprofils in der
Kriminologie. Dieses Täterprofil ermittelt man, indem
man die Tat als Teil eines symbolisch verschlüsselten Szenarios deutet. Um Ihnen ein Beispiel zu geben: Ein amerikanischer Serienkiller schnitt seinen Opfern – alles Frauen
– die Kehle heraus. Ein sogenannter Profiler deutete das
folgendermaßen: Der Mörder war in einem Frauenhaus-
halt aufgewachsen, deren Mitglieder ihn als Jungen nur be-
schimpft hatten. Als er erwachsen war, beseitigte er die
Stimmbänder von Frauen. Mit dieser Interpretation wur-

den der Täterkreis eingeengt und der Mörder gefaßt. Er entsprach dem Profil. Dieses Verfahren wurde in Amerika entwickelt und bei uns durch die britische Fernsehserie ›Fitz‹ bekanntgemacht.

Wenn unser Täter auch der Verfasser dieses Bekennerschreibens ist, ist er allerdings von anderem Kaliber. Auf jeden Fall ist er gebildet. Frau Mussal hat nun durch ihre Doktorarbeit eine gewisse Vertrautheit mit den Verwandten dieses Tätertyps gewonnen: Sie schreibt nämlich eine Dissertation über die Fanatiker und Monomanen, die ihren Lebenssinn in dem Nachweis sehen, daß nicht Shakespeare, sondern irgendein anderer seine Werke verfaßt hat. Wie das alles miteinander zusammenhängt, erläutert Ihnen jetzt Frau Mussal.«

Durch das Audimax lief eine Welle des Raunens, als Vera jetzt ans Podium schritt. Max sah sich um, ob er vielleicht dem Täter ins Gesicht blickte: Irgendwo saß er, unerkannt, und wartete neugierig darauf, wie man seine Tarnung zu lüften gedachte.

Vera ordnete noch mal ihre Unterlagen und blickte dann fest ins Publikum. Ihre Miene unter der brünetten Pagenfrisur wirkte so gesammelt, und ihr straff anliegendes Kostüm sah so professionell aus, daß Max sich gar nicht mehr vorstellen konnte, mit dieser Frau noch vor einigen Tagen im Bett gelegen zu haben.

»Meine Damen und Herren«, begann sie. »Die Menschen, die beweisen wollen, daß Shakespeare in Wirklichkeit etwa der Earl of Oxford war, verfolgen ihr Ziel mit außerordentlichem Engagement, mit großer Leidenschaft und erstaunlicher Energie. Rückschläge und Gegenbeweise beeindrucken sie kaum. Wie ist das zu erklären? Nun, sie beziehen ihren Lebenssinn aus dem engen Verhältnis zu einem der Großen der Menschheitsgeschichte. Gleichzeitig ist dieses Verhältnis emotional hoch ambivalent. Sie möchten selber wie dieser Große sein, sie möchten an seine Stelle treten, deshalb möchten sie ihn, ihren Heros, zugleich vernichten und wieder neu erschaffen. Wenn zum Beispiel der bekannte Oxfordianer Kleinschmidt recht hätte damit, daß Shakespeares Stücke in Wirklichkeit vom Earl of Oxford geschrieben wurden, würde er zum Schöpfer dieses neuen Shakespeare. Sein Name wäre auf ewig mit ihm verbunden. Zugleich hätte er mit dem alten Shakespeare auch die alte Kirche der Stratfordianer zerstört. Kurzum, das Täterprofil dieses Typs läuft auf den Kirchengründer, den neuen Propheten und den Künder eines neuen Heilands hinaus. Seine Psychologie ist im positiven Fall religiös, im negativen apokalyptisch. Nun gibt es bei diesen Neuerfindern Shakespeares wiederum eine Sonderkategorie: Das sind die Kryptographen. Sie finden überall in Shakespeares Werken kodierte Geheimbotschaften, in denen der wahre Verfasser seine Identität zugleich enthüllt und verhüllt. Ich gebe Ihnen ein Beispiel: Als Romeo auftritt, sagt eine Figur in Romeo und Julia: ›Here comes Romeo.‹ Antwortet eine zweite: ›But without his roe.‹ ›Roe‹ heißt ›weibliches Reh‹, und die Replik bedeutet, daß Romeo ohne seine Liebste auftritt. Ein Kryptograph aber deutet das folgendermaßen: Romeo minus Ro = Meo, und das ist ein Pseudonym von dem Earl of Oxford, denn es bedeutet Me, O(xford). Von derselben Art ist nun das Kryptogramm des Bekennerschreibens.« Sie legte es auf den Overhead-Projektor, und auf der weißen Fläche hinter ihr erschien der Text dieses merkwürdigen Schriftstücks. Wohl niemand im Audimax hatte je so eine rätselhafte Mitteilung gesehen – außer dem Absender selbst. Ein Murmeln lief durch die Reihen, als die Zuhörer mit wachsender Verwunderung lasen:

»Der Sehende an die Blinden. Wenn ihr das Schreiben erhaltet, ist das Tier schon erlegt. Die Zahl des Tiers im Genitiv ist die Zahl des Mannes. Und die ist 600 bis zur Verderbnis minus A. Das ist die Botschaft des Sterns, die Sterne haben es so gewollt.«

Max sah sich um. Man konnte den Gesichtern förmlich ansehen, daß sich jeder einzelne von ihnen vorzustellen versuchte, wie ein Mensch wohl aussah, für den so etwas sinnvoll war. Nur einer hier im Saal dachte wohl umgekehrt: Ach wie gut, daß niemand weiß, daß ich Rumpelstilzchen heiß.

Vera hatte dem Auditorium eine Minute Lesezeit gegönnt und nahm jetzt wieder das Wort.

»Ich übersetze Ihnen das mal eben. Übrigens, von jetzt ab würde ich vorschlagen, daß die Sicherheitsbeamten niemanden mehr hinauslassen.« Alle im Auditorium blickten nach hinten zu den zwei Ausgängen, vor denen

sich jeweils zwei gleichgültig blickende Polizisten in Zivil
aufgebaut hatten. »Denn nun wird der Absender, falls er
hier im Raum ist, sich entblößt fühlen, und wir dürfen
ziemlich sicher sein, daß er hier ist, denn er nennt sich der
›Unsichtbare‹. Er fühlt sich also sicher. Er weiß, ganz ähnlich wie meine Shakespearomanen, daß er der einzige ist,
der die Schrift lesen kann. Die Schrift ist eine Geheim-
schrift: Die Bedeutung starrt uns ins Auge, aber wir erkennen sie nicht. Entziffern wir also die ›heilige Schrift‹,
denn dort in der Heiligen Schrift finden wir den Code. Es
ist die Formel ›600 bis zur Verderbnis‹. Aus der Offenbarung des Johannes kennen wir die Zahl der Verderbnis,
auch bei Shakespeare kommt sie vor, das ganze Mittelalter
war von ihr besessen: Es ist die Zahl 666. Sie galt als Pseudonym des Bösen. Man deutete das mit der Abspaltung
des Islam und der Entstehung der Ungläubigen. Die Mus-
lime lassen den Islam mit der Hedschra beginnen, also
Mohammeds Flucht von Mekka nach Medina im Jahre
622. Damit beginnt auch die islamische Zeitrechnung. Ge-
rechnet ab dem letzten Jahr des Unheils, nämlich Caesars
Ermordung im Jahre 44 v. Chr., sind es bis 622 genau 666
Jahre – die Spanne der Verderbnis. Jetzt werden aber von
den 666 im Bekennerschreiben 600 abgezogen; bleiben 66
– auch eine üble Zahl. Die Zeitgenossen Shakespeares erwarteten im 66. Jahr der Königin Elisabeth eine Katastrophe. Sie war 1533 geboren worden, und ihr Krisenjahr
war also 1599, das letzte Jahr des Jahrhunderts. Statt dessen aber kam die Katastrophe von Essex, des Vorbilds von

Hamlet, und damit begann Shakespeares dunkle Periode. Nun schreibt der Unsichtbare, das sei die Zahl des ›Tiers im Genitiv‹ und ›die Zahl des Mannes‹. Das klingt zunächst rätselhaft. Aber nicht mehr, wenn man weiß, daß viele alte Kryptographen numerologisch denken und Buchstaben durch Zahlen ersetzen. Wenn man sich daran erinnert, daß lange Zeit auch bei uns die römischen Zahlen benutzt wurden, sieht 66 wie ein abgekürztes Wort aus« – sie schrieb LXVI auf den Overhead-Projektor – »das man mitten in einem Text gar nicht unbedingt als Zahl erkennt. So konnte man Botschaften verstecken. Die Zahl des Mannes ist also die Zahl, die man erhält, wenn man die Buchstaben in seinem Namen nach deren Stelle im Alphabet numeriert und dann addiert. Nun wissen wir ja den Namen des Opfers: Krieger. Setzen wir nun nach ihrer Position im Alphabet für die Buchstaben die entsprechenden Zahlen ein, erhalten wir die Reihe: K = 11; R = 18; I = 9; E = 5; G = 7; E = 5 und R = 18. Zählt man das zusammen, ergibt das aber 73, eine Niete. Kein Wunder, wir haben ja die Anweisung des Unsichtbaren nicht beachtet: minus A. Wir sollen A nicht mitzählen, sondern erst ab B numerieren. Dann ist K = 10; R = 17; I = 8; E = 4; G = 6; E = 4 und R = 17. Zählen wir das zusammen – und bingo: da haben wir die 66. Wieso ist das aber jetzt die Zahl des Tiers im Genitiv? Checken wir also nach diesem Prinzip die Genitivform des Tiers: T = 19; I = 8; E = 4, R = 17, S = 18, und zählen zusammen, und siehe da: es sind 66. Was soll das aber nun bedeuten? Welches Tier ist denn

gleich dem Mann? Nun, in diesem Fall wird die Glei-
chung durch das Horoskop hergestellt. Das Tierkreiszeichen von Krieger ist der Stier. Er hat dieselben Buchstaben wie ›Tiers‹ im Genitiv, und seine Zahl ist 66. Die
Kombination von Stier und Krieger ist also tödlich. Aber
warum sollte sie das sein? Ich habe lange dran herumge-
rätselt, bis ich zwei Dinge miteinander verbunden habe.
Das eine war ein Irrtum, der trotzdem zur Wahrheit führte, und er hängt mit dem Horoskop zusammen, das der
Astrologe Nico Naphta im Auftrag einer Zeitung mit dem
bezeichnenden Namen *Star* für Herrn Krieger gestellt hat.
Durch einen Irrtum bei der Faxübertragung wurde Kriegers Geburtstag nicht, wie es korrekt gewesen wäre, mit
dem 23. 4. angegeben, sondern mit dem 22. 4. Das ist aber
der Geburtstag eines anderen Großen der Geschichte: Lenins. Und so vermutete ich, daß jemand bewußt die Daten
vertauscht hatte, um den Kanzlerkandidaten Krieger in
den Augen der Wähler zu diskreditieren. Denn ein Astrologe mußte, um glaubwürdig zu bleiben, sein Horoskop
so einrichten, daß es auch auf Lenin paßte, und tatsächlich
sah Naphtas Horoskop danach aus. Diese Vertauschung,
die sich ja dann als Irrtum herausgestellt hat, brachte mich
aber auf den entscheidenden Gedanken: Vielleicht hatte
der Absender des Bekennerbriefes Herrn Krieger über die
66 mit einem ganz anderen Politiker identifiziert und
nicht mit Lenin. Und da begriff ich endlich, wie der Code
minus A zustande kommt. A ist der abgekürzte Vorname
eines Mannes, dessen Zahl der Absender wirklich gemeint

hat. Ich liste die Buchstaben jetzt auf: H = 7; I = 8; T = 19; L = 11; E = 4 und R = 17 (A. HITLER). Macht zusammen 66, wenn man A als 0 zählt. Das aber führt wieder zurück in die Heilige Schrift, nämlich zu der Formel ›A und O, der Anfang und das Ende‹. Wie aber heißt der Vorname von Krieger? Otto. Über das gleiche Tierkreiszeichen und das Horoskop und die Kombination von A und O hat der unsichtbare Absender Ministerpräsident Krieger mit Hitler identifiziert. Er hat ihn umgebracht, weil er einen neuen Hitler verhindern wollte.

Woher wissen wir das? Weil er den Code für seine Verschlüsselung aus der Offenbarung des Johannes bezieht, und zwar von Kapitel 13, Vers 18: ›Laß ihn, der über Weisheit verfügt, die Zahl des Tiers zählen: Denn das ist die Zahl des Mannes; und seine Zahl ist 666.‹ Wie kennzeichnet nun die Offenbarung den Mann? Er ist das apokalyptische Tier, das die Juden mit einem Zeichen stigmatisiert. Das Horoskop, das Nico Naphta für Herrn Krieger gestellt hat – skrupelloser Charismatiker, der sich durch eine selbstproduzierte Krise an die Macht tragen lassen will –, all das hat den Unsichtbaren in der Überzeugung bestärkt, daß Krieger eine Reinkarnation von Hitler ist. Wahrscheinlich glaubt er auch an Wiedergeburt.«

Ein Raunen ging durch die Menge, als Vera so weit gekommen war. Viele blickten sich um, um zu sehen, ob niemand aufsprang und aus dem Saal zu stürzen versuchte.

»Was ich berichtet habe, war mein Part in der Geschichte. Ich übergebe jetzt das Wort an Max Eschborn. Er ist

Journalist beim *Star* und hat mich erst auf den entscheidenden Gedanken gebracht. Er wird das Täterprofil noch etwas weiter eingrenzen.«

Als Max am Pult stand und in die Menge blickte, mußte er blinzeln, so sehr wurde er von den Scheinwerfern geblendet. Erst allmählich konnte er die einzelnen Gesichter erkennen. Irgendwo wartete jetzt jemand gespannt darauf, daß Max ihn outete und seine Unsichtbarkeit aufhob.

»Ich möchte gar nicht weiter am Täterprofil feilen«, begann Max leise. »Ich brauche das auch nicht, denn ich weiß schon, wie der Täter ist. Er ist so wie viele von uns. Wahrscheinlich hat er Geschichte studiert, so wie ich auch. Dann wurde er mit dem Holocaust konfrontiert; diese Erfahrung haben wir doch alle gemacht. Seitdem sind wir Besessene. Wer davon gezeichnet ist, ist vom Bösen besessen. Sein Leben wird davon aufgefressen. Er denkt nur noch über das apokalyptische Tier nach. Nichts anderes schwebt ihm mehr vor, als das zu verhindern, was schon geschehen ist. Immer wieder versetzt er sich an einen Punkt in der Geschichte zurück, an dem er dann in der Phantasie das Tier erlegt. So häufig hat er das in der Vergangenheit getan, daß er schon vorbereitet ist, als er glaubt, einen zweiten Hitler entdeckt zu haben, der uns jetzt und heute bedroht. Freudig ist er bereit, dafür sein Leben zu opfern. Aber die anderen werden ihn nicht verstehen. Er muß unsichtbar bleiben, dabei möchte er so gerne sichtbar werden.«

Max machte eine Pause und sah intensiv ins Publikum.

»Wenn du hier im Auditorium sitzt, mag dich vielleicht sonst niemand verstehen. Ich aber verstehe dich. Das muß dir reichen, um dich zu erkennen zu geben.« Er machte eine Pause, in der man hätte eine Stecknadel fallen hören können. Die Stille so vieler Menschen wirkte unheimlich. Alle warteten. Als nichts geschah, begann Max erneut zu sprechen:

»Du brauchst nicht mehr unsichtbar zu bleiben. Die Zeit der Unsichtbarkeit ist vorbei. Gib dich zu erkennen. Um dir zu beweisen, daß ich dich verstehe, will ich auch etwas gestehen. Ich habe tatsächlich die Daten vertauscht. Ich halte die Astrologie für einen Rückfall in den Irrationalismus. Um sie zu diskreditieren, habe ich die Umschläge mit den Daten vertauscht.«

»Nein.«

Der Schrei kam von ganz hinten im Audimax. Alle drehten sich um und sahen, wie ein junger Mann, von einem übermächtigen Krampf emporgerissen, sich mit einem langen, gequälten Heulen, wie es noch niemand jemals gehört hatte, aufbäumte, plötzlich schlotterte, als ob er von Kugeln durchsiebt würde, und mit dem eher gezischten Ruf »das Tier, das Tier« zusammenbrach.

Später wurde bekannt, daß es sich um einen Studenten der Geschichte handelte, der schon lange zu beweisen versuchte, daß Hitler nicht am 20., sondern am 21. April geboren worden war, um ihn eindeutig dem Sternzeichen Stier zuordnen zu können. Er selbst, der Bedauernswerte, hatte am 20. April Geburtstag, an dem Tag also, an dem

der Widder sich in den Stier verwandelt, und für eine Sekunde, in der weder das eine noch das andere war, zum
apokalyptischen Tier wurde, dem menschenmordenden
Minotaurus im Labyrinth der Welt. Max aber wurde sehr
dafür gelobt, wie er den Täter entlarvt hatte: Einfach zu er-
finden, daß er die Daten vertauscht hatte, um antifaschisti-
sche Seelenverwandtschaft zu simulieren und zugleich die
Tat zu entwerten – das war schon gekonnt.

*Dieser Geschichte liegt nicht die traditionelle Schulastrologie zugrun-
de, sondern eine auf den Heresiarchen von Ucqbar und auf Girolamo
Rizzo, einen Schüler Cardanos, zurückgehende Lehre, die, von Ezra
Buckley mit der koptischen Numerologie verknüpft, inzwischen zahl-
reiche Anhänger in der Cosmis-Intelligence-Bewegung gefunden hat.
(Vgl. The Encyclopaedia of Heterodox Astrology, Salt Lake City,
Utah, 1996, supplement vol. 1999)*

Jerome Charyn *Das Auge Gottes*

Es waren die üblichen Machtspielchen im amerikanischen Präsidentschaftswahlkampf. Laut Meinungsumfragen lagen die Republikaner um zwanzig Prozentpunkte zurück. Um überhaupt noch eine Chance zu haben, mußten sie den Demokraten irgend etwas anhängen. Sie schossen sich auf den Präsidentschaftskandidaten J. Michael Storm ein und beschuldigten ihn, ein Weiberheld und Dieb zu sein. Es gelang ihnen jedoch nicht, den Abstand zu verringern zwischen ihm und ihrem eigenen Mann, Präsident Calder Cottonwood, der sein Büro an der Pennsylvania Avenue kaum noch verließ. Die Demokraten besaßen ein Foto von Calder, wie er in den Rosengarten pinkelte. Sie kündigten an, es zu veröffentlichen, wenn die Republikaner nicht aufhörten, J. Michaels Affären breitzutreten. Die Öffentlichkeit hatte das Interesse an Calder und J. Michael verloren. Und Calders Vizepräsident, Teddy Neems, verschwand zunehmend in der Versenkung. Da blieb nur noch Isaac Sidel.

Das ganze Land liebte diesen Kandidaten für das Amt des Vizepräsidenten. Er trug immer seine Kanone, eine österreichische Glock, in der Unterhose; ein ehemaliger Polizeipräsident, der selbst noch auf seinen Wahlreisen Verbrecher jagte. Allerdings sollte er Marianna Storm, Michaels zwölfjährige Tochter, allgemein bekannt als die kleine First Lady, jetzt nicht mehr auf seiner Kampagne mitnehmen dürfen. Tim Seligman, Chefstratege der demokratischen Partei, hatte sie aus Isaacs Bus verbannt. Und Isaac drohte Tim damit, seinen eigenen Wahlkampf zu boykottieren, bis Marianna zurückkäme.

»Isaac, draußen herrscht Krieg«, sagte Tim. »Die Bomben fliegen einem um die Ohren. Möchtest du das kleine Mädchen in den Dreck ziehen?«

»Dadurch, daß es bei uns mitfährt?«

»Die Republikaner brüten da ein richtig großes Ding aus. Dagegen kommen wir nicht an. Sie wollen dir einen Lolita-Komplex anhängen, es sei denn, Marianna verschwindet schnell von der Bildfläche.«

»Wer ist Lolita?«

»Isaac, das ist ein Schmierentheater. Sie reden von Pädophilie.«

Isaac stürzte sich auf Tim, brachte den ganzen Bus ins Schwanken. Der Secret Service mußte die beiden trennen. Der Boß von Isaacs Truppe, Martin Boyle, ein Zweimetermann aus Oklahoma, redete mit Engelszungen auf den Big Guy ein.

»Sir, wenn ich Sie loslasse, versprechen Sie, sich zu benehmen?«

»Aber erst, wenn ich Tim fertiggemacht habe.«

»Dann halte ich Sie fest bis zum Jüngsten Tag.«

»Klasse. Dann brauche ich nicht mehr auf Stimmenfang zu gehen.«

»Dann wählen die Republikaner wieder Cottonwood«,

sagte Tim. »Er steckt hinter der Verleumdungskampagne. Aber wir haben ihm ein Super-Schnippchen geschlagen. Wir haben seine Astrologin.«

»Calder hat eine Astrologin? Dann ist er nicht besser als dieser bescheuerte Adolf Hitler.«

»Er macht keinen Schritt ohne sie. Er ist völlig von der Rolle.«

»Wie heißt sie?«

»Markham. Amanda Markham.«

»Und wie hast du sie erwischt, Timmy? Der Präsident hat diese Amanda doch bestimmt gehütet wie seinen Augapfel.«

»Sie ist freiwillig mitgegangen.«

»Aus freien Stücken? Super. Sie marschiert in unser Camp und bietet ihre Dienste an, und du riechst den Braten nicht? Was ist los mit dir? Calder weiß nicht mehr ein noch aus, deshalb leiht er uns seine beste Spionin.«

»Isaac, wir sind keine Vollidioten. Wir haben sie gründlich überprüft. Es gibt Tonbänder von ihr mit dem Präsidenten.«

»Du hast das Weiße Haus angezapft? Boyle, haben Sie das gehört?«

»Nein«, erwiderte Isaacs Mann vom Secret Service. »Offiziell darf ich überhaupt nichts hören, Sir. Ich bin nur hier, um Ihr Leben zu schützen.«

»Ich glaub's einfach nicht. Das alles ergibt doch keinen Sinn ... und was hast du herausgekriegt, Timmy-Boy, was ist auf diesen Bändern?«

»Eine Menge. Über das, was Calder dir anhängen will. Sex mit Kindern. Er hat an Fotos herummanipuliert. Von dir und Marianna. Da hatte Mrs. Markham endgültig genug.«

»Warum?«

»Es hat sie angeekelt. Sie ist eine glühende Anhängerin von dir. Das hat der Präsident herausgekriegt und ihr die Nase gebrochen. Da ist sie gegangen.«

»Wo steckt diese Mata Hari jetzt?«

»Im Bus. Und sie ist nicht Mata Hari.«

»Sie ist einfach eingestiegen, und du hast mir nichts davon gesagt? Wie lange ist sie schon hier?«

»Eine Woche. Ich wollte, daß Amanda dich beobachtet, ohne daß du etwas davon merkst.«

»Mich beobachten, Tim?«

»Sie ist Astrologin, die beste auf ihrem Gebiet. Sie arbeitet an deinem Horoskop. Sie kann uns bei unseren Plänen für die Zukunft helfen – deiner Zukunft und die der Partei.«

»Geh zum Teufel«, sagte Isaac. »Du stiehlst mir Marianna und hetzt so eine verblödete Sternentussi auf mich.«

»*Wer ist eine Sternentussi?*«

Isaac mußte sich den Hals verrenken, sonst hätte er nicht sehen können, aus welcher Ecke der schrille Aufschrei kam. Eine dicke kleine Frau mit einem Pflaster auf der Nase thronte im hinteren Teil des Busses. Bis jetzt war sie nicht in sein Gesichtsfeld geraten. Er hätte sie sehen müssen. Schließlich war er der Polizeipräsident von New York gewesen.

»Haben Sie öfter Halsschmerzen, Sidel?«

Er fixierte die fette Hexe mit zusammengekniffenen Augen. »Woher wissen Sie das?«

»Stiere haben immer Probleme mit dem Hals.«

»Hat Calder die auch?«

»Ich rede nie über andere Klienten«, sagte sie.

»Aber über Marianna haben Sie geredet, mit Tim. Und dann hat er sie mir weggenommen.«

»Das ist etwas anderes. Das Kind war in Gefahr – und Sie auch. Ich bin Ihr Rettungsring, Sidel.«

»Das bezweifle ich. Immerhin waren Sie Calders Hellseherin … bis er Ihnen die Nase gebrochen hat.«

»Aber ich konnte ihn nicht retten. Das kann niemand.«

»Warum nicht? Stand der Mond bei seiner Geburt vielleicht im Zeichen der Jungfrau? Hat ihm das alle Lebenslust genommen?«

»Sie machen sich über mich lustig, Sidel.«

»Jawohl, gnädige Frau. Der einzige Stern, den ich brauche, ist Marianna.«

Isaac Sidel ging der Hexe aus dem Weg. Er hatte seine Glock und seinen persönlichen sechsten Sinn. Er konnte nicht verstehen, warum Timmy bei ihm in diesem gelben Wahlbus blieb und nicht zum eigentlichen Präsidentschaftskandidaten J. Michael zurückkehrte, der von einem Fettnapf in den nächsten stolperte.

»Michael braucht dich, Tim.«

»Dem kann keiner mehr helfen«, erwiderte der Stratege.
»Mich tröstet nur, daß Calder genausoschnell untergeht.
Ein Novum in der amerikanischen Politik. Ein Präsident-
schaftsrennen, bei dem beide Knaben auch nicht den klein-
sten Funken zünden können. Wenn du in irgendeinen
Skandal verwickelt wirst, geht Calder in die zweite Amts-
zeit. Deshalb konnte ich auch nicht zulassen, daß er dir einen Lolita-Komplex anhängt. Ich mußte Marianna weg-
schaffen.«

Sie waren in San Antonio angekommen, wo Tim eine
Pressekonferenz anberaumt hatte. In der Old Cattleman's-
Bar im Hotel Menger, gegenüber vom historischen Alamo.
Die Demokraten wollten Isaac auf Davy Crockett trimmen
und ihm sein Manhattan-Image abschminken. Aber Isaac
wollte seine Persönlichkeit nicht umkrempeln lassen und
schon gar nicht den verlorenen Sohn von San Antonio mi-
men. Weder trug er Cowboystiefel wie andere Kandidaten,
noch ließ er sich bei Rodeos blicken. Er sprach über den
schrecklichen Zustand der Schulen in Großstädten, über
elfjährige Revolverhelden, die für Drogenbosse arbeiten
und konkurrierende Bandenmitglieder über den Haufen
schießen, weil man sie nicht vor Gericht bringen kann.

»Ich hasse Rauschgiftbarone, die sich hinter den Rock-
zipfeln von kleinen Kindern verstecken.«

»Was wollen Sie denn eigentlich?« fragte ihn ein Reporter. »Das hier ist Crockett-Country. Wollen Sie uns etwa
mit einem neuen Waffengesetz beglücken?«

»Liebend gern«, entgegnete Isaac. »Wenn es dann keine elfjährigen Killer mehr gibt.«

»Wir sind hier nicht in Brooklyn. Unsere Kids spielen nicht mit Kanonen. Wir würden sie grün und blau prügeln.«

Die fette Hexe stieß gegen Isaac. »Machen Sie's kurz«, flüsterte sie.

»Himmel, Mrs. Markham. Sind Sie jetzt der Wahlkampfmanager?«

»Der Mond steht genau zwischen zwei Häusern. Das bedeutet Gefahr. Sie befinden sich genau im Zentrum von etwas, das mir überhaupt nicht gefällt. Verschwinden Sie so schnell wie möglich.«

»Alamo aufgeben? Mich geschlagen geben? Meine Liebe, das hier ist Texas.«

»Ihre Belehrungen können Sie sich schenken«, zischte Mrs. Markham und rammte ihren Ellbogen in Isaacs Rücken ... genau in dem Augenblick, als ein irrer Revolverschütze in der Menge auftauchte. Der Kerl hatte es geschafft, Martin Boyle und seine Männer vom Secret Service auszutricksen. Sie hatten die Menger-Bar bis in den letzten Winkel nach verdächtigen Gestalten abgegrast und waren trotzdem auf ihn hereingefallen. Der Schütze war auch schwer auszumachen. Er trug eine Uniformjacke, als gehöre er zur Army, mit den Rangabzeichen eines Captains auf der Schulter. Aber er sprach mit schwerer Zunge, und seine Augen waren blutunterlaufen. Sein Mund hing ihm schief im Gesicht, als hätte ihn jemand falsch aufgenäht.

»Ich bin das Auge Gottes«, schrie der Schütze und um-
klammerte dabei einen silbernen Colt mit dem längsten
Lauf, den Isaac jemals gesehen hatte. Der Big Guy konnte
unmöglich seine eigene Glock ziehen. Er hätte ein Inferno
in der Bar angerichtet, möglicherweise ein Massaker ausgelöst. Er stellte sich schützend vor Mrs. Markham und ein
kleines Mädchen, das sich ein Autogramm von ihm holen
wollte, stieß sie aus der Schußlinie und sprang den Schützen an, der einmal zum Schuß kam und Isaac unter dem
Arm streifte. Die Kronleuchter klingelten wie Himmels-
glocken.

»Der Bürger am Boden, der Bürger am Boden«, sangen
die Männer vom Secret Service in ihre Knopfmikros. »Der
Bürger« war ihr interner Codename für Isaac. Der Revolverschütze war schon überwältigt; vier Männer, darunter
Boyle, hatten sich auf Isaac geworfen. Boyles Gesicht war
mit Isaacs Blut beschmiert.

»Boyle«, keuchte Isaac. »Würden Sie sich bitte gottver-
dammt von mir runterrollen? Ich kriege keine Luft.«

Und dann verlor er das Bewußtsein.

Er kam wieder zu sich im Brooke Army Medical Center,
in einem Krankenzimmer, das offenbar für Generäle reserviert war. Es war größer als Isaacs Apartment in der Lower
East Side. In seinen Armen steckten Schläuche und in seiner Nase ein Röhrchen, das ihn mit Sauerstoff versorgte.
Er schloß die Augen, und als er das nächste Mal aufwachte, hatte man die Schläuche und den Sauerstoff entfernt.

Ärzte und Krankenschwestern waren gekommen und wieder gegangen. Sie trugen alle Militäruniform. Boyle war an seinem Bett.

»Das hätte nicht passieren dürfen, Mr. President.«

»Boyle, wie oft soll ich es Ihnen noch sagen? Ich bin nicht der Präsident. Ich kandidiere für den Vize.«

»Ja, Mr. President. Aber es hätte nicht passieren dürfen. Wir waren schlampig. Das ist unverzeihlich.«

»Was ist mit dem Kerl? Ist er verletzt?«

»Er war Patient in dieser Klinik, Sir. Er hat die Uniformjacke gestohlen.«

»Ist er nun verletzt oder nicht?«

»Nein, Sir. Es geht ihm gut. Er ist wieder im Krankenhaus, unter Bewachung.«

»Haben Sie gesehen, wie riesig sein Colt war? Wie ist er an so eine Kanone gekommen?«

»Es ist ein Requisit fürs Theater, Sir, eine antike Waffe. Er hat sie der Rodeo-Show geklaut, die gerade in der Stadt gastiert.«

»Wie heißt er, Boyle?«

»Billy Bob Archer. Ein Veteran aus dem Koreakrieg.«

»Korea? Dabei sieht er aus wie ein Kind. Ich hätte gedacht, daß er selbst für Vietnam noch zu jung sei.«

»Das macht die Uniform, Sir. Die hat ihn jünger aussehen lassen. Er geht auf die Sechzig zu und hat jede Menge psychischer Probleme.«

»Wird man ihn vor Gericht stellen, Boyle?«

»Schon möglich, Sir. Aber ich kann mich nicht mit der hiesigen Rechtsprechung beschäftigen.«

Tim Seligman betrat das Zimmer mit einem gigantischen Aktenordner voller Zeitungsausschnitte.

»Der Teufel soll mich holen, du bist ein Held. Alle Welt ist völlig aus dem Häuschen wegen dir, Isaac. Du solltest mal sehen, was man in China und Pakistan schreibt. *Kandidat riskiert sein Leben, rettet Hotelgäste vor schießwütigem Irren.*«

»Wo ist Mrs. Markham?«

»Sie versteckt sich irgendwo. Wir mußten sie aus der Story heraushalten. Sonst denken die Leute noch, du hättest deine persönliche Astrologin. Das ist schlecht für den Wahlkampf.«

»Aber sie ist meine Astrologin. Und sie hat meinen Arsch gerettet. Ich hätte den Kerl niemals bemerkt, wenn sie mich nicht …«

Das Telefon klingelte.

»Ist das J. Michael? Hast du ihm gesagt, er soll mich anrufen, Tim?«

Isaac griff nach dem Telefon und brummte in den Hörer. »Hier Sidel.«

Es war das Weiße Haus. Am Apparat war Calder Cottonwood.

»Wie geht's Ihnen, mein Sohn?«

»Ich lebe hier wie in einem Palast.«

»Das Zimmer haben Sie mir zu verdanken. Es ist das beste im ganzen Haus. Ich bin schließlich auch Oberbefehlshaber der Streitkräfte. Auch die Militärhospitäler unterstehen meinem Befehl ... Ist Tim Seligman da?«

»Ja, Mr. President.«

»Dieser Schweinehund, er hält die Markham gefangen ... Im Hotel Menger, in einem der Hinterzimmer.«

»Das ist Politik. Tim schlägt gnadenlos zu, genau wie Sie.«

Einen Moment herrschte Stille. »Schlägt gnadenlos zu? Wie ich?«

»Haben Sie ihr etwa nicht die Nase gebrochen?«

»Das war Leidenschaft, nicht Politik.«

»Nun ja, so ähnlich geht es mir mit Marianna Storm. Und ich möchte sie ungern verlieren, Mr. President, nur weil Ihre Jungs aus mir einen Cop mit einem Lolita-Komplex machen wollen, einen beschissenen Päderasten. Geben Sie mir Ihr Wort, daß Ihr kleines Spielchen aufhört?«

»Ich könnte Ihnen das Blaue vom Himmel versprechen, Isaac, aber ich liege weit zurück im Rennen, und mein Team wird Sie auseinandernehmen, wenn sie es irgendwie bewerkstelligen können.«

Isaac beendete das Gespräch mit Präsident Calder Cottonwood.

»Tim, ich möchte mir gerne bei meiner Astrologin einen Rat holen.«

»Das ist unmöglich.«

»Soll ich sie eigenhändig herholen? Ich klopfe an jede verdammte Zimmertür im Menger. Ich ziehe in meinem Krankenhaushemd los.«

Tim flüsterte in sein Knopfmikro, und Mrs. Markham erschien. Offenbar hatte er sie nicht mehr im Menger unter Verschluß, sondern in Isaacs Wahlkampfbus gesetzt. Sie war sehr blaß. Vielleicht war ihr klar geworden, daß die Demokraten genauso eigenwillig sein konnten wie Calder.

»Mrs. Markham, wo sitzt für Sie das Auge Gottes? Ich meine, an welcher Stelle des Tierkreiszeichens, in welchem Haus speziell?«

»Diese Frage kann ich nicht beantworten.«

»Aber das hat der verrückte Soldat doch gesagt: Ich bin das Auge Gottes. Und Sie haben ihn kommen sehen, Sie haben ihn erwartet.«

Sie starrte die Wand an. »Diese Frage kann ich nicht beantworten.«

»Timmy, was hast du mit ihr gemacht? Es gibt Schlimmeres, als einer Frau die Nase zu brechen ... Boyle, bringen Sie mir meine Hose. Ich mache einen Spaziergang.«

»Du kannst nicht raus«, sagte Tim. »Vor dem Zimmer warten an die hundert Reporter. Du bist noch nicht so weit, du kannst denen noch nicht gegenübertreten.«

»Boyle, haben Sie meine Glock?«

»Ja, Mr. President.«

»Gut. Dann helfen Sie mir bitte beim Anziehen.«

Isaac setzte sich im Bett auf, und Boyle schälte ihn aus dem Krankenhaushemd. Isaacs Rippen waren verpflastert. Boyle half ihm ins Hemd, in die Hose und in die Schuhe.

Isaac zog eine Kordjacke an, die er in Memphis im Schluß-
verkauf erstanden hatte. Er sah aus wie ein Verbrecherjä-
ger, wie die Karikatur eines Philosophen.

»Wo soll's hingehen?« erkundigte sich Boyle.

»Zu Billy Bob Archer.«

Timmy stöhnte. »Isaac, in die geschlossene Abteilung
wird man uns auf keinen Fall lassen.«

»Wetten, daß?«

»Aber du gehst nicht mit Amanda Markham. Wir müssen sie wenigstens als Wahlhelferin tarnen.«

»Ach, komm schon. Sie war bei Letterman und bei Lar-
ry King. Sie ist ein Star. Die Größte in ihrem Geschäft. Waren das nicht deine Worte?«

»Sie war rein zufällig in deiner Nähe, als der Schütze
auftauchte – dank Boyles Schlamperei.«

»Laß Boyle in Ruhe. Er kann nicht auf alle Irren dieser
Welt aufpassen.«

»Er hätte dich beschützen müssen. Dafür wird er bezahlt.«

»Tim, mach mich nicht wahnsinnig. Ich bin alles, was
du hast.«

Damit entschwand Isaac aus dem Zimmer, mit Mrs.
Markham an der Hand.

»Der Bürger ist auf den Beinen und kommt jetzt raus«,
sang Boyle in sein Mikro, und der Secret Service mußte für
Isaac eine Gasse schaffen und dafür sorgen, daß die Reporter ihn nicht zerquetschten.

»Glauben Sie an die Sterne, Mr. Sidel?«

»Falsch. Die richtige Frage lautet: Glauben die Sterne an mich.«

»Aber haben nicht Sie und der Präsident dieselbe Astrologin?«

»Meine Damen und Herren, Mrs. Markham ist nur eine gute Freundin.«

Und Boyle steuerte den ganzen bunten Haufen eine Etage tiefer zur psychiatrischen Abteilung, wo Isaac von einem Army-Captain und zwei Militärpolizisten aufgehalten wurde.

»Tut mir leid, Sir«, sagte der Captain. »Aber da dürfen Sie nicht rein. Streng verboten, selbst für Vizepräsidentschafts-Kandidaten.«

»Haben Sie ein Telefon, Captain?«

Isaac wählte die Nummer des Weißen Hauses und tobte so lange, bis die Vermittlung ihn zu Präsident Cottonwood durchstellte.

»Isaac, ich bin auf dem Scheißhaus. Was, zum Teufel, wollen Sie? Ich dachte, wir hätten alles beredet.«

»Ich habe Mrs. Markham gefunden. Sie schulden mir einen Gefallen. Ich möchte in die psychiatrische Abteilung, Billy Bob besuchen, aber der Captain läßt mich nicht.«

»Wer ist Billy Bob?«

»Der Kerl, der im Menger ein Blutbad anrichten wollte.«

»Aber das ist ein Durchgeknallter. Da kann ich nichts machen.«

»Sind Sie nicht der Oberbefehlshaber?«

Isaac reichte dem Captain den Hörer, der nahm ihn ans Ohr, lauschte, sprach ein paar unterdrückte Worte, legte den Hörer auf und salutierte vor Isaac.

»Captain«, sagte Isaac. »Mrs. Markham kommt mit mir.«

»Aber der Präsident hat gesagt ...«

»Muß ich noch einmal das Weiße Haus anrufen? Es ist absolut notwendig, daß mich Mrs. Markham zu Billy Bob begleitet.«

Der Captain öffnete das Tor zur geschlossenen Abteilung.

Seligman wirkte bekümmert. »Isaac, soll ich nicht ...«

»Nein.« Isaac beförderte Mrs. Markham schwungvoll durch die Tür, ohne Tim oder Martin Boyle. Sie betraten eine Art Niemandsland, einen endlos langen Flur, ihnen voran die Militärpolizisten.

»Ich bin gerührt, Isaac«, sagte die Astrologin, »daß Sie mich in die Höhle des Löwen mitnehmen.«

»Halten Sie den Mund«, befahl Isaac. Er packte Mrs. Markham und riß ihr das Pflaster von der Nase. Sie schrie nicht einmal auf. Da war nichts gebrochen oder verletzt.

»Sie sind eine Schauspielerin und tun nur so, als wären Sie Mrs. Markham, stimmt's?«

Die dicke Frau nickte.

»Armer Tim. Glaubt, er hat das Weiße Haus verwanzt. Dabei hat Calder die besten Jungs von der National Security. Er kann Tim mitschneiden lassen, was immer er will. Wie heißen Sie?«

»Amanda … Amanda Weil.«

»Sie sind in unser Camp gekommen mit Ihren kleinen Spezial-Referenzen und werden dafür bezahlt, daß Sie uns auseinandernehmen. Stimmt's, Mrs. Weil?«

»Ja … aber ich bin nicht verheiratet. Ich bin nur …«

»Woher haben Sie Ihr astrologisches Wissen?«

»Aus einem Buch.«

»Aber Sie haben mich in der Bar im Menger gewarnt … vor Billy Bob.«

»Schauspielerische Intuition. Ich habe gespürt …«

»Moment mal. Ist Billy Bob Archer auch ein Schauspieler? Gehört er auch zu Ihrer kleinen Truppe? Oder ist er einer von Calders Männern?«

»Ich habe nicht … Er hat Sie angeschossen, oder etwa nicht?«

»Nicht der Rede wert. Calder könnte eine kleine Fleischwunde riskiert haben … wenn er einen Scharfschützen angeheuert hat.«

»Im Menger? Wo alle Leute …«

Die Militärpolizisten brachten sie in eine winzige Zelle, die von der übrigen Station abgetrennt war. Billy Bob Archer lag nicht im Bett. Er saß auf einem Ledersessel, Arme und Beine gefesselt, und Isaac fragte sich, ob er mitten in irgendeinem surrealen Drama gelandet war.

»Billy Bob, erinnern Sie sich an mich?«

»Klar.«

»Warum läßt Gott Sie durch seine Augen sehen?«

»Er läßt mich nicht sehen. Ich bin das einzige Auge Gottes.«

»Dann ist der Herr selbst blind?«

»Richtig, Mr. Weichei. Und ich bin auserwählt, ihn aus der Dunkelheit zu führen. Wer ist das dicke Mädchen?«

»Meine Astrologin.«

Der Attentäter lächelte. »Dann weiß sie, daß Sie in Gottes Haus geboren wurden.«

»Sind Sie deshalb mit einer Kanone hinter mir her gewesen, Billy Bob? Was hat mein Geburtstag mit Gott zu tun?«

»Ein Mai-Baby ist ein trauriges Baby ... sie weiß das.«

Isaac rückte näher an den Ledersessel heran. »Was weiß sie? Wohnt Gott im Weißen Haus? Träumt er im Oval Office? Hat Calder Cottonwood Sie engagiert?«

Der Schütze fing an zu weinen. »Sie entweihen mich. Sie machen sich über mich lustig. Ich hatte eine Mission. Ich sollte Ihnen die Augen ausschießen. Und ich habe versagt ... wegen diesem fetten Mädchen.«

»Was zum Teufel geht hier vor?«

Der Leiter der geschlossenen Abteilung erschien in Billy Bobs Zelle. Trevor Welles, seines Zeichens Armee-Psychiater, ebenfalls im Rang eines Captains, war wütend auf Isaac.

»Das hier ist eine psychiatrische Station, Mr. Bürgermeister. Der falsche Platz für Wahlkampfrummel.«

»Oha, Doc«, sagte der Revolverschütze. »Ärgern Sie das Mai-Baby nicht.«

»Muß ich Sie wieder knebeln, Corporal Archer?«

»Aber ich will wissen, was das dicke Mädchen zu sagen hat. Haben Sie im Hotel Menger Gott gesehen, Missy?«

Amanda blinzelte. »Ich weiß nicht«, sagte sie. »Ich weiß nicht.«

Isaac wandte den Blick nicht von Welles' Uniform: Er wurde das Gefühl nicht los, daß er sie schon einmal gesehen hatte. »Captain, hat Billy Bob Ihre Jacke gestohlen und sie im Menger getragen?«

»Ja.«

»Wie hat er sie denn in die Finger bekommen?«

»Ist das ein Verhör? Sie dürften nicht mal hier sein ... Er hat meinen Spind aufgebrochen.«

»Und ist am Haupteingang an zwei Militärpolizisten vorbeigekommen?«

»Das hier ist ein Krankenhaus, kein Gefängnis.«

»Haben Sie alles mit ihm einstudiert, Captain Welles? Haben Sie ihn sauber geschrubbt und ihm eine Rodeo-Kanone in die Hand gedrückt?«

»Sir«, sagte der Captain. »Sie verlassen auf der Stelle die Station.«

»Erst muß ich mich noch von Billy Bob verabschieden.«

Isaac beugte sich über den Ledersessel und küßte den Schützen auf die Stirn. »Mein armer kleiner Bob.«

Dann packte er Amandas Hand und ging an Captain Welles vorbei zum Ausgang. Sein Schatten, Martin Boyle, stand auf der anderen Seite der dicken, brutalen Gitter. Seine Hände zuckten. »Sie hätten da nicht allein reingehen dürfen.«

»Allein?« sagte Isaac. »Ich hatte doch Amanda bei mir, zu meinem Schutz.«

Der Haufen Reporter lauerte immer noch in der Nähe.

»Mr. Sidel, Mr. Sidel, haben Sie mit dem wahnsinnigen Killer gesprochen?«

»Billy Bob ist kein Mörder. Er hat mich mit jemand anderem verwechselt.«

»Mit wem, Sir?«

»Mit einem Engel«, entgegnete Isaac und wandte sich an seinen Schatten.

»Rufen Sie unseren Fahrer an, Boyle. Sagen Sie ihm, er soll den Bus anschmeißen. Wir verschwinden aus San Antonio.«

Neun Minuten später hielt der Bus vor der Klinik. Isaac sprang hinein, zusammen mit den Reportern, die über seine Kampagne berichteten. Er hatte eine Sekretärin und ein paar feste Mitarbeiter, aber er brauchte sie fast nie. Er war kein Geschäftemacher. Und auch kein politischer Stratege wie Tim. Er war ein Prolet mit einer Kanone. Er ließ sich auf Faustkämpfe ein. Er hatte am ganzen Körper Narben, wie ein Krieger Gottes. Er beobachtete Amanda, wartete, bis sie sich hingesetzt hatte. Er wollte seine Astrologin nicht in Panik versetzen. Und er brauchte Tim keinen Wink zu geben.

Seligman tauchte neben Isaac auf und setzte sich.

»Wir müssen die Alte loswerden ... Isaac, die Presse wird aufmerksam auf sie. Meine Leute haben sie überprüft. Sie ist ein Spitzel.«

»Timmy, mein Schatz, haben deine Leute auch herausgefunden, daß deine Wanze im Weißen Haus nur in deiner Fantasie existiert? Calder hatte die ganze Zeit sein eigenes Drehbuch. Er hat dich total ausgetrickst.«

»Das ist nicht wahr.«

Isaac tätschelte Tims Ohr. »Das Fiasko im Hotel Menger war eine kleine Inszenierung. Ein gespieltes Attentat. Amanda muß es sich im letzten Moment anders überlegt haben … streng deine grauen Zellen an, Tim. Wie konnte Billy Bob aus einer geschlossenen Abteilung herausspazieren, in der Uniform eines Captain … Und wer hat die Kanone besorgt?«

»Wenn das Calder war, mache ich ihn kalt. Und diese Hexe kaufe ich mir, daraus mache ich einen Fall von Notwehr.«

»Du wirst nichts davon tun, Tim. Wir können nichts beweisen. Calder würde nur über uns lachen. Und anschließend macht er Hackfleisch aus uns. Wir würden wie blutige Amateure dastehen, wenn wir ausgerechnet dem Präsidenten der Vereinigten Staaten Verschwörungspläne anhängen wollten! Wo halten wir als nächstes?«

»In Austin«, entgegnete Tim.

»Schön. Weck mich, wenn wir da sind.«

Und der Bürger schlief ganz schnell ein.

Aus dem Amerikanischen von Jürgen Bürger

Maeve Carels *Mein Freund Herb*

Ich dachte immer, je älter man wird, desto mehr Freunde würde man ansammeln. Aber jetzt bin ich weit über vierzig, und richtige Freundschaften sind bei mir selten geworden. Vielleicht ist es mit der wahren Freundschaft dasselbe wie mit der großen Liebe: Vielleicht gibt es die wahre Freundschaft auch nur einmal im Leben.

Vielleicht sehe ich das aber auch bloß so, weil ich Stier bin. Unflexibel. Wenn ich etwas gut finde, dann halte ich mich dran. Ich bin ein treues Tier, das ist der Vorteil, und ich kann mich schlecht umgewöhnen – das ist meine Schwäche.

Herb war genauso. Auch ein Stier. Bloß, daß er immer gesagt hat, so was sei Quark. Aber meine Mutter, die konnte nicht ohne ihre Horoskope. Hat wohl ein bißchen auf mich abgefärbt, trotz Herb.

Herb und ich waren Freunde. Wir wohnten beide in derselben Siedlung am Stadtrand, da, wo es wieder richtig ländlich wurde. Hinter den Bahnschienen begannen die Viehweiden.

Am Ende unserer Straße gab es ein altes Fabrikgelände. Irgend etwas wurde dort immer noch produziert, aber nicht mehr dasselbe wie früher und auch nicht mehr so viel. Existieren tut die Firma bis heute – hat sich gesundgeschrumpft. Schon damals war nur noch die kleinere der beiden Fabrikhallen in Betrieb. Die andere verfiel, und die meisten der Fensterscheiben waren zerbrochen. Das Gelände um die alte Halle herum war völlig verwahrlost.

Natürlich hatte man das gesamte Areal mit einem Zaun abgesichert. Aber an den Bahngleisen hinter der alten Halle gab es ein unbewachtes Tor, über das man leicht klettern konnte. Die Fabrik hatte früher einen Gleisanschluß gehabt. Das heißt, es gab ihn natürlich immer noch, aber er wurde nicht mehr benutzt und war von Unkraut und Gestrüpp fast völlig überwuchert. Die Gleise führten unter dem Tor hindurch bis zu einer Laderampe hinten an der Halle.

Die Bahngleise hinter der Fabrik und das verwilderte Gelände zwischen dem verrosteten alten Tor und der Halle waren unser Spielplatz. In die Halle selbst ging niemand. Es gab keinen bekannten Weg hinein. Die tonnenschweren Rolltore der Laderampe waren verschlossen und wahrscheinlich ebenso zugerostet wie die Schlösser an den Türen. Und die zerbrochenen Fenster lagen so hoch, daß man eine große Leiter gebraucht hätte, um einzusteigen.

Außerdem kamen aus der alten Halle oft unheimliche Geräusche. Eulen, Fledermäuse, Katzen und Ratten wohnten dort – und wer weiß was sonst noch. Trotzdem erscheint es mir heute eher merkwürdig, daß keiner von den Jungs je in dieser Halle gewesen ist. Ich meine ... normalerweise tun Jungs so etwas, oder?

Natürlich durften wir da hinten überhaupt nicht spielen. Die Eltern hatten es uns streng verboten, bis zu den

Schienen zu gehen. Auf den Bahngleisen fahren heute nur noch ein paar Personenzüge, aber damals herrschte ziemlich reger Verkehr. Da ratterten noch jede Menge Güterzüge vorbei. Manche fuhren langsam, weil sie am nächsten Bahnhof haltmachten. Aber manche waren so schnell, daß man kaum die Waggons zählen konnte.

Wir liebten die Güterzüge, vor allem die schier endlos langen. Aber das war unseren Eltern egal. Wir hatten uns dort gefälligst fernzuhalten, die Gleise waren gefährlich.

Und ebenso streng war uns verboten worden, das Fabrikgelände zu betreten. Natürlich taten wir es trotzdem. Im Sommer waren wir jeden Tag da. Man konnte dort spielen wie nirgendwo sonst. Die Arbeiter hatten nur eine Schicht, und die begann lange bevor wir aufstanden und endete am frühen Nachmittag. Dann war das Gelände verwaist. Und es eignete sich ganz hervorragend, sowohl für »Cowboy und Indianer«als auch für Versteckspiele. Aber die Hauptsache für uns: Auf dem Fabrikgelände waren wir außer Sicht der Erwachsenen.

Wenn uns langweilig wurde, kletterten wir über das alte Tor wieder nach draußen und trieben uns auf den Gleisen herum. Meistens suchten wir im Schotter nach schönen Steinen. Jeder von uns hatte eine Sammlung angelegt, und wir tauschten untereinander Steine wie die Mädchen diese kitschigen Glitzerbilder aus dem Schreibwarenladen.

Nicht, daß wir die Existenz von Mädchen zur Kenntnis genommen hätten. Das wäre uns viel zu peinlich gewesen.

Oft fand man neben den Gleisen Dinge, die Reisende

aus dem Fenster geworfen hatten, und manchmal waren wirklich interessante Sachen dabei. Jedenfalls fanden wir sie damals interessant. Für Erwachsene ist das nichts, von ein paar besonderen Glücksfällen vielleicht abgesehen. Ich bewahre zum Beispiel immer noch die Bierdose mit den chinesischen Schriftzeichen auf. Und ich wünsche mir immer noch, ich könnte so ein Bier einmal probieren. Chinesenbier. Unvorstellbar, oder?

Komisch, in meiner Erinnerung war es irgendwie dauernd Sommer. Die Sonne glänzt auf den Schienen, die untenrum rostig und obenrum ganz blankgefahren sind, und blitzt auf den Glimmersteinen im Schotter. Das Gestrüpp auf dem Fabrikgelände ist dicht belaubt und undurchsichtig, und alle tragen kurze Hosen und haben aufgeschrammte Knie. Alle Jungs, meine ich. Die Mädchen spielten natürlich woanders. Sie kamen nie auch nur in die Nähe der Fabrik oder der Gleise. Aufgeschrammte Knie hatten sie aber auch.

Wahrscheinlich glauben Sie jetzt, daß wir ein fröhlicher Haufen Freunde gewesen sind. Falsch gedacht.

Ich hatte einen Freund: Herb, und der hatte einen Freund: mich. Die anderen fünf waren eher Feind als Freund. Wenn sie nicht vollzählig waren, dann ließen sie Herb und mich schon mal mitspielen. Wir durften dann die undankbare Rolle der Indianer übernehmen.

Ich weiß, Sie denken jetzt vielleicht, die Indianer mit ihren Marterpfählen waren doch ziemlich gefährliche Leute. Aber die Marterpfähle gab es bei uns anfangs noch nicht. Unsere Cowboys hielten sich so ziemlich an die historische Realität und machten die Indianer gnadenlos platt.

Wenn die gesamte Fünfer-Clique vollzählig war, dann hatten Herb und ich keine Chance. Ob wir nun als Indianer mitspielten oder nicht: Wenn wir Pech hatten, jagten sie uns. Wenn wir großes Pech hatten, kriegten sie uns sogar.

Am besten war es, wenn wir allein blieben, Herb und ich. Wir hatten am äußersten Ende des Fabrikgeländes eine Stelle entdeckt, wo die Gleise eine leichte Kurve machten und die anderen uns nicht mehr sehen konnten. Außerdem standen dort Bäume und dichtes Gebüsch.

Es war ein ziemlich dunkler Platz. Wenn wir lange dort gesessen hatten, blinzelten wir hinterher erst einmal halb blind in die Sonne. Wir waren dort viel näher an den Wohnhäusern unserer Siedlung als hinter der alten Halle, aber wir fühlten uns hier trotzdem nicht beobachtet. Von den Häusern aus konnte man uns wegen der Büsche nicht sehen. Und keiner der anderen Jungs kam jemals hierher. Es war einfach zu öde.

Uns machte das nichts aus. Herb und ich hatten außer dem Sternzeichen noch etwas gemeinsam, und genau das machte uns so unbeliebt: Wir waren beide Klassenprimus. Ich, weil ich hart arbeitete, und Herb, weil er ein Genie war. Ich weiß nicht, ab wann Herb wußte, daß er Physiker werden wollte. Aber ich würde mich nicht wundern, wenn er sich dazu entschlossen hätte, als er feststellte, daß ein

Schnuller einen Bogen beschreibt und zu Boden fällt, wenn man ihn aus dem Kinderwagen wirft.

Deshalb war es uns egal, ob unsere Umgebung öde war oder nicht. Meistens unterhielten wir uns. Sie können sich vorstellen, wie die anderen Jungs das fanden.

Dazu kam noch, daß Herb eine Brille tragen mußte. Deshalb nannten die anderen ihn grundsätzlich »Vierauge«. Ich fand das blöd, aber für sie war es täglich ein brandneuer Anlaß, sich vor Lachen zu kringeln.

Seine großen Schwestern, seine Eltern und ich waren die einzigen, die Herb zu ihm sagten. Die Lehrer nannten ihn Herbert. Sie behandelten ihn mit äußerster Hochachtung. Kein Wunder: Er wußte damals schon mehr, als sie je lernen konnten.

Also, so einer war ich nicht. Ich war bloß ein normaler Intelligenzler, und neben Herb muß ich gewirkt haben wie ein Schimpanse: nett und gelehrig. Drückt immer die richtige Taste, um Futter zu kriegen, und kann bis zu zweihundert verschiedene Wörter unterscheiden. Brav.

Außerdem war ich klein und dick. Herb war im Vergleich zu den anderen Jungs aus der Siedlung ebenfalls nicht besonders groß, aber immerhin fast einen Kopf größer als ich. Ziemlich dünn war er. Seine Hemden und Hosen waren immer viel zu weit, und aus dem Kragen schaute ein dürrer Hals heraus wie bei einer Schildkröte. Seine Augen sahen auch wie die einer Schildkröte aus. Reptilienaugen. Kühl. Ich meine – irgendwie schien er die Welt ganz anders zu sehen als wir.

Jedenfalls waren ihm Bücher lieber als Spielzeug. Das ging mir ähnlich, aber ich hatte beides. Das einzige Spielzeug, das Herb zu besitzen schien, war ein abgewetzter Fußball, dem man seine ursprüngliche Farbe längst nicht mehr ansehen konnte. Den schleppte er dauernd mit sich herum. Als ich ihn einmal fragte, warum er das tat, obwohl er doch ein ganz erbärmlicher Fußballspieler war, antwortete Herb mit einem Lächeln: »Das ist kein Fußball. Das ist ein Alibi.«

Er hatte natürlich recht. Man konnte nicht einfach bloß durch die Gegend laufen oder herumstehen und sich Gedanken machen. Man mußte etwas tun. Sonst wurde man von den anderen angepöbelt und herumgeschubst und von den Eltern zum Arzt geschickt und bekam dann monatelang vor jedem Essen Lebertran.

Was übrigens Kohl ist, falls Sie das nicht wissen sollten. Die Eskimos leben wirklich gesünder, weil sie anders essen als wir, aber nicht, indem sie etwas Besonderes zu sich nehmen, sondern weil sie etwas weglassen: Sie essen kein Fleisch. Lebertran ist nicht ganz so ungesund wie andere Arten von Fett, das ist alles. Machen Sie Ihre Kinder glücklich und kippen Sie das Zeug ins Klo. Der Mist ist praktisch wertlos. Die paar Vitamine kriegen sie anderswo schmackhafter zusammen.

Auch solche Dinge wußte Herb. Der ließ sich nicht ins Bockshorn jagen. Ja, Herb war echt Klasse. Ganz große Klasse. Als Genie und auch als Mensch.

In jenem Sommer, von dem ich hier erzählen will, steckten Herb und ich fast ununterbrochen zusammen. Im Jahr davor waren wir noch Leidensgenossen gewesen, die sich notgedrungen zusammengeschlossen hatten, um sich besser verteidigen zu können. Aber inzwischen verband uns echte Freundschaft.

Meine Mutter haßte Herb, aber sie konnte nichts gegen ihn sagen. Dafür war er viel zu ruhig und zu höflich. Herb war ein ausgesprochen wohlerzogener Junge. Meine Mutter fand keinen Grund, ihm das Haus zu verbieten, obwohl sie es gern getan hätte. Herb war der mittlere Sproß einer kinderreichen Familie. Sein Vater arbeitete bei der Müllabfuhr. Seine Mutter klebte zusammen mit Herbs älteren Brüdern und Schwestern in Heimarbeit für ein paar Pfennig irgendwelches Zeugs zusammen, um die Familie zu ernähren.

Der Rest der Siedlung fand diese Leute hauptsächlich einfach nett. Aber meine Mutter konnte nicht verhindern, daß ihre Nase sich kräuselte, sobald sie Herb zu sehen bekam. Sagen durfte sie natürlich nichts.

Außerdem konnte niemand leugnen, daß Herb einen guten Einfluß auf meine Schulleistungen hatte. Die waren zwar immer schon hervorragend gewesen, aber jetzt wurden sie wesentlich beständiger. Früher war mir der Unterrichtsstoff oft zu langweilig gewesen, und ich hatte nicht mehr aufgepaßt. Oder ich hatte mit meinen Hausaufgaben geschlampt. Jetzt arbeitete ich, um mich vor Herb nicht zu blamieren. Und ich lernte von ihm, und zwar jede Menge. Herb zuzuhören war noch spannender, als Bücher zu lesen. Er konnte vor allem viel besser erklären.

Übrigens, Comics lasen wir auch. Herb sammelte Batman- und ich Spiderman-Heftchen, und wir tauschten alle untereinander aus. Das nur zu Ihrer Beruhigung. Wir waren ziemlich normale Jungs, im großen und ganzen.

Wir hatten eine alte Luftmatratze in unser Gebüsch an den Bahnschienen geschleppt und hockten nun nebeneinander darauf und lasen gemeinsam einen Spiderman-Comic. Es war lustiger, sie zu zweit zu lesen. Herb entdeckte in den Bildern viel mehr, als mir allein aufgefallen wäre. Es machte Spaß, mit ihm darüber zu reden und die Geschichten mit unserer eigenen, sehr ausgeprägten Phantasie weiterzuerzählen.

Aber an dem Tag, an dem meine Geschichte anfängt, blieb Herb merkwürdig still. Nach einer Weile legte ich den Comic weg. »Nun komm schon, Herb«, sagte ich. »Egal, was es ist. Ich glaub nicht, daß es irgendwas gibt, worüber wir nicht reden können.«

Herb hockte auf der Luftmatratze und rollte seinen schäbigen alten Lederball zwischen den Füßen hin und her. Eine Weile sagte er gar nichts. Dann: »Sie wollen mich umlegen.«

Einen Moment lang dachte ich, ich hätte mich verhört. Ich regte mich auch nicht auf, ich sagte nicht ›Waaas??‹ oder ›Spinnst du?‹ oder ›Red keinen Scheiß, Mann‹ oder sonstwas. Ich hockte einfach da, während der Sommer seinen Lauf nahm. In der Ferne pfiff die Lokomotive eines Güterzugs, und ich freute mich schon darauf, die Waggons zu zählen und zu schauen, ob wir auf einen neuen Rekord kämen.

Ich hörte auch das Geschrei der Jungs, die auf dem Fabrikgelände spielten. Eine Ameise lief über die Luftmatratze, und auf Herbs nacktem Knie saß zwischen den alten Schrammen ein schmutziges Pflaster, das sich an einer Ecke abzulösen begann. Im linken Glas von Herbs Brille spiegelte sich ein Sonnenstrahl, und weil er runterguckte, warf der gespiegelte Strahl einen hellen Fleck auf den alten, grauen Fußball.

Es dauerte ein bißchen, bis mein Gehirn es akzeptierte, aber dann wurde mir klar, was ich gehört hatte.

Ein paar Sekunden lang dachte ich, Herb hätte mit »sie« seine Eltern gemeint. Meine eigene Mutter liebte Märchen wie »Hänsel und Gretel«, in denen die Kinder im Wald ausgesetzt werden, weil die Familie nicht genug zu essen hat. Und Herbs Familie war ja ziemlich arm.

Aber ich war alt genug und wußte, daß dieser Gedanke absurd war. Allerdings noch lange nicht alt genug, um mitgekriegt zu haben, daß verdammt viele Eltern ihre Kinder mißhandeln und, wenn ihnen das zu langweilig wird, sie tatsächlich umbringen.

Aber Herb wurde nicht mißhandelt. Er hatte wirklich nette Eltern. Überhaupt war der Tod eine Vorstellung, mit der ich nicht viel anfangen konnte. So was passierte nur alten Leuten. Und echten Helden, wie Winnetou.

Herb nahm die Brille ab und zog einen Hemdzipfel aus der Hose. Nicht um die Gläser zu putzen, sondern um sich die Augen zu wischen. Bestürzt stellte ich fest, daß er weinte. Mit einem furchtbar erwachsenen Ausdruck im

Gesicht, gallenbitter und voller Resignation, schaute er hinüber zu dem alten Fabrikgelände, wo die anderen Jungs spielten.

Und jetzt wurde mir endlich klar, von wem er sprach.

»Mensch, Herb. Das ist doch Quatsch. So was sagen die doch dauernd.«

Herbs Augen waren trockengewischt. Er setzte die Brille wieder auf und blinzelte ein paarmal. Dann schaute er mich an. »Ich weiß«, erwiderte er ernst. »Aber nicht so. Ich hab sie belauscht. Zufällig. Im Klo, in der Schule. Sie wußten nicht, daß ich da war. Sie haben es geplant. Alle zusammen. Sie binden mich an den Schienen fest. Dann hauen sie ab.«

»Wahrscheinlich wußten sie ganz genau, daß du da warst«, warf ich ein. »Die wollten dich bloß erschrecken.«

Herb lächelte ein sehr klägliches Lächeln. »Wenn du sie gehört hättest, würdest du das nicht sagen. Sie sind zu blöd, um so gut zu schauspielern.«

Ich überlegte mir das. Im Grunde bezweifelte ich, daß Herb sich überhaupt irren konnte. Dafür war er viel zu klug. Er konnte nicht nur das Universum erklären, er konnte auch Menschen einschätzen. Und ihre Beweggründe. Und was sie sagen würden. Oder tun würden.

Bei mir war das nicht viel anders. Wenn man so gefährlich lebt wie ein Klassenprimus, dann tut man nämlich gut daran, derlei Instinkte fleißig zu trainieren.

Trotzdem: jemanden umbringen! »Mensch, Herb«, sagte ich schon wieder. »Das ist aber nicht so einfach. Jemanden umbringen, meine ich. Jedenfalls nicht, ohne erwischt zu werden. Außerdem, erst mal müssen sie dich kriegen. Außerdem ...«

»Mike«, unterbrach Herb mich, »so viel Phantasie haben die nicht. Die nehmen sich vor, einen umzubringen, und dann verschleppen sie einen und tun es. Dann prahlen sie damit herum. Und schließlich werden sie erwischt und sind total sauer, weil sie nicht verstehen, wie das passieren konnte.«

Er hatte recht.

»Dann gibt es nur eine Möglichkeit«, entschied ich. »Wir müssen es den Erwachsenen sagen.«

»Quatsch. Die glauben uns kein Wort.«

Da hatte er ebenfalls recht. Wie immer.

Ich glaube, mehr als alles andere hat mich diese Bitterkeit in seinem Blick schockiert. Die Erkenntnis, daß er verraten wurde, so gründlich verraten, wie er es nie erwartet hätte.

Wir Klassenbesten haben nichts Positives von anderen Kindern zu erwarten. Sie kippen uns die Schultaschen aus, zertreten unsere Füller, spielen mit unseren Pausenbroten Fußball, stoßen uns mit dem Gesicht voran in Pfützen, verdrehen uns die Arme und zwingen uns »Ich bin ein Arschloch« zu sagen. Das ist normal. Aber daß sie uns umbringen, damit rechnen wir denn doch nicht.

Ich sagte: »Dann müssen wir eben zusammenbleiben. Jederzeit. Überall. Und uns möglichst von ihnen fernhalten. Immer. Egal, ob sie uns zu ihren blöden Spielen einladen oder nicht. Laß uns auf die andere Seite der Siedlung gehen. Hier ist es zu abgelegen. Auf der anderen Seite ist dieser Spielplatz, wo nie jemand spielt. Aber drum herum sind Häuser. Da ist es zu belebt. Da können sie uns nichts tun. Da kann man überhaupt nichts tun, ohne beobachtet zu werden. In Zukunft gehen wir dahin. Und wir bleiben zusammen. Egal, wohin wir gehen. Und halten die Augen offen und gehen ihnen aus dem Weg. Gemeinsam. Zusammen. In Zukunft gehst du nicht mal mehr allein zum Klo. Und irgendwann, Herb, irgendwann werden sie ganz einfach vergessen haben, daß sie sich vorgenommen hatten, dich umzubringen. Ich glaub nicht mal, daß es lang dauern wird. Im Vergessen sind die groß, Herb. Ehrlich gesagt wundert's mich, daß sie sich ihre Namen merken können.«

Herb nickte. Er sah nicht auf. Wahrscheinlich wollte er nicht, daß ich die Dankbarkeit in seinen Augen sah. Vielleicht wollte er auch nicht, daß ich die Einsamkeit in seinen Augen sah. Ich wollte sie auch gar nicht sehen. Ich wollte glauben, daß uns gemeinsam überhaupt nichts passieren konnte.

»Wer von denen ist überhaupt auf die Scheißidee gekommen?« fragte ich. »Horst?«

»Wer sonst.«

Klar. Warum hatte ich gefragt? Was Horst sagte, wurde gemacht. Und was Horst mit den Fäusten nicht in jemanden reinprügeln konnte, besorgte sein Bruder mit einem Knüppel. Aber nur auf Anweisung von Horst. Überhaupt handelten alle nur auf Anweisung von Horst. Ohne ihren Anführer Horst waren sie ein Haufen stinknormaler Jungs. War Horst dabei, verwandelte er sie in eine blutrünstige Meute. Mit Gewalt. Sie machten mit, weil sie sich vor ihm fürchteten.

Wir packten unsere Comic-Heftchen zusammen, ließen die Luft aus der Luftmatratze und trugen unsere Habe auf ungefährlichen Umwegen zu Herbs Haus, wo wir die Sachen im Schuppen verstauten. Übrigens einschließlich des Fußballs. Es war zu gefährlich, was mit sich herumzuschleppen – man mußte die Hände freihaben. Wir gingen auf den Spielplatz und hockten auf den Kletterstangen herum. Ich hatte ein Gefühl im Bauch, als wäre der Sommer zu Ende.

Ungefähr eine Woche später weckte mich mitten in der Nacht ein eigenartiges Geräusch.

Normalerweise wachte ich nachts nie auf. Ich war überrascht, wie hell es war. Durch die dünnen Vorhänge flutete Mondlicht. Ich stand auf und schob sie beiseite. Verblüfft starrte ich in das grinsende Gesicht von Herb, der sich die Nase an der Scheibe plattdrückte und eine Grimasse zog. Ich schlüpfte in Hosen und Pullover, stopfte meinen zusammengerollten Bademantel und einen Ball unter die Dekken, öffnete leise einen Fensterflügel und kletterte hinaus.

Ich zögerte keine Sekunde. Obwohl ich so etwas noch nie, nie in meinem ganzen Jungsleben getan hatte. Aber als ich Herbs Gesicht am Fenster gesehen hatte, da hatte ich eins begriffen: Der Sommer fing wieder an. Er war nur kurz unterbrochen worden.

Herb legte den Finger an die Lippen. Ich nickte. Schweigend schlichen wir geduckt an den Hecken entlang. Fasziniert betrachtete ich die dunklen, stillen Fenster der Nachbarhäuser. Der Mond beleuchtete die Vorgärten wie eine Lampe. Am Ende der Straße schlugen wir uns durch das Gestrüpp einer verwilderten Wiese bis zu den Schienen durch. Nun durften wir auch wieder aufrecht gehen, wir waren außer Sicht. Auch, falls jemand in unserer Siedlung nicht schlafen konnte und am Fenster stand.

Wir gingen die Schienen entlang bis zu dem alten Tor, kletterten hinüber und liefen auf die verlassene Fabrikhalle zu. In den halb zerbrochenen Scheiben spiegelte sich der narbige, tote Erdtrabant mit seinem silbrigen Licht. Das, wie ich von Herb wußte, nicht sein eigenes war, sondern reflektiertes Sonnenlicht.

Vielleicht wäre das anderen unheimlich erschienen, aber für uns war es das nicht. Wir hatten zwar jede Menge Phantasie, aber wir konnten auch verdammt logisch denken und glaubten beide nicht an Gespenster. Vor der Halle flogen Fledermäuse herum und jagten Nachtfalter. Herb und ich wußten alles über Fledermäuse und hatten deshalb auch keine Angst vor ihnen. Wir wußten, daß die glühenden Augen im Gebüsch einer Katze gehörten, und auch, warum ihre Augen glühten. Nicht einmal eine Ratte, die über die Laderampe lief, störte uns. Wir wußten, daß Ratten nur angreifen, wenn sie sich in die Enge getrieben fühlen.

Herb ging an der Rampe entlang bis zum Ende und um die Ecke herum zur anderen Seite der alten Halle. Vorsichtig wühlten wir uns durch ein fieses Dornengestrüpp bis an die Wand. Dort lag ein schwerer Gitterrost über einem Kellerloch. Es sah aus, als säße er bombenfest.

Er saß aber nicht bombenfest. Herb benutzte einen langen, starken Ast und die Hebelwirkung, ich zog, und schon lag das Gitter neben dem Loch. Eine Fensterscheibe gab es nicht, nur ein rostzerfressenes, völlig zerfetztes Drahtgeflecht. Wir bogen die bröckeligen Reste nach innen, stiegen hindurch und landeten in einem stockdunklen Keller unter der Fabrik.

Herb zog eine Taschenlampe aus der Hosentasche und knipste sie an. Der Raum war leer. Rings um uns standen nur primitive Holzregale, ungenutzt, voller Spinnweben und grau von Staub. Ich staunte trotzdem. »Woher kanntest du den Eingang?«

»Hab ich beim Versteckspielen entdeckt«, erklärte Herb. »Als wir mal wieder mitspielen durften, weil Horst und sein Bruder nicht da waren und sie zuwenig Leute hatten. Ich wollte es dir sagen, aber dann mußten wir heim, und am nächsten Tag ist diese Sache im Klo passiert. Und da hab ich's vergessen.«

In der Wand gegenüber dem Fenster gab es eine Tür. Sie war aus Metall und sah ziemlich schwer aus. Der Riegel war völlig verrostet, aber sehr stabil. Er ließ sich öffnen, und die Tür schwang auf. Herb leuchtete mit der Taschenlampe in den Raum dahinter. Er schien ziemlich groß zu sein.

»Da hinten ist noch eine Tür«, sagte ich.

»Ich weiß«, erwiderte Herb. »Aber die ist fest verschlossen.«

Eine Stunde später lag ich wieder im Bett und glaubte, ich könne vor Aufregung überhaupt nicht mehr einschlafen. Aber ich irrte mich. Ich schlief wie ein Stein.

Am nächsten Tag in der Schule erlebte ich eine Überraschung. Gleich in der ersten Pause, als ich mich mit Herb auf dem Flur traf, zog er mich zu den Toilettenräumen.

Das war schlechtes Timing, und das hätte er eigentlich wissen müssen. »Mensch, Herb, jetzt doch nicht«, flüsterte ich. »Ich hab Horst eben runtergehen sehen.«

Herb nickte und zog mich trotzdem die Treppe hinunter. Forsch öffnete er die Toilettentür und marschierte direkt auf das Pißbecken zu, an dem Horst stand.

»Na, Schwanzvergleich, Vierauge?« grinste Horst. Herb pflanzte sich vor ihm auf und verschränkte die Arme vor der Brust. »Sag mal, Horst, warst du schon mal in der alten Fabrikhalle?«

»Klar.« Horst knöpfte gelassen den Hosenlatz zu. »Schon oft.«

Herb grinste. Eine andere Antwort war nicht zu erwarten. Hätte er Horst gefragt, ob er schon mal mit dem Papst Tee getrunken hätte, dann hätte Horst auch geantwortet: »Klar. Schon oft.«

»Bist du auch durch das Kellerfenster in dem Gebüsch gestiegen, an der Seite, die zur Wiese hin liegt?«

»Quatsch«, antwortete Horst. »Da liegt ein scheiß-schweres Eisengitter drüber. Das kann man nicht hochheben. Ich hab meinen eigenen Geheimeingang.«

Ja, klar, Horst. Zweifellos.

»Das Eisengitter ist nur tagsüber drauf«, sagte Herb. »Damit wir Jungs da nicht reinkommen. Nachts ist es offen.«

»Klar.« Horst nickte. Natürlich. Du und der Papst, Horst, ihr beide habt das natürlich längst gewußt.

»Die haben tolle Sachen da im Keller«, sagte Herb und zog ein verrostetes altes Taschenmesser aus der Hosentasche. »Das hier hab ich auch da gefunden. Ich hab nur eins weggenommen, damit es nicht auffällt. Aber da liegen noch viel mehr rum.«

Horst starrte das Messer mit großen, runden Augen an. Kleine Taschenmesser besaßen wir Jungs eigentlich fast alle. Aber so große durften die meisten von uns nicht haben, die galten als gefährlich. Zwangsläufig gab es kaum etwas, was wir uns sehnlicher wünschten.

»Du gehst nachts wohl nicht raus?« fragte Herb.

»Klar geh ich nachts raus«, sagte Horst und ließ das Taschenmesser nicht aus den Augen. »Mein Bruder und ich, wir sind jede Nacht draußen.«

Klar. Ebensooft, wie ihr schon mit dem Papst Tee getrunken habt, du und dein Bruder.

»Na, dann hast du ja sicher auch schon so 'n Ding«, sagte Herb und steckte das Messer wieder in die Hosentasche.

»Klar hab ich schon so 'n Ding.« Horst starrte enttäuscht auf Herbs Hände, die nun leer waren.

»Na ja, hat ja inzwischen wohl fast jeder so eins«, sagte Herb. »Wär auch verdammt blöd, wenn du als einziger keins hättest. Wo du doch der Anführer bist und all das.« Er drehte sich um und ging raus. Ich trottete hinter ihm her und die Treppe wieder hoch ohne ein Wort. Ich fragte ihn nicht, warum er das getan hatte. Das mußte ich nicht.

Ich war nicht überrascht, als es in dieser Nacht wieder an meinem Fenster kratzte. Es war früher als beim letzten Mal, aber ich hatte mich schon angezogen und schlüpfte schnell hinaus. Meine Mutter war gerade erst ins Bett gegangen. Ich hoffte, daß sie tief und fest schlief. Soweit ich wußte, tat sie das.

Schweigend schlichen wir zum Fabrikgelände hinüber. Wir hebelten das Eisengitter, mit dem wir das Kellerloch gestern nacht sorgfältig wieder abgedeckt hatten, routiniert hoch und schoben es zur Seite. Dann hockten wir uns ins Unkraut unter die Laderampe und warteten. Um uns herum raschelten Mäuse. Oder Ratten. Wir sprachen nicht. Wir saßen nur nebeneinander und warteten.

Ich weiß nicht, wie lange wir gewartet haben. Ich weiß nur, daß es die längsten Stunden oder Minuten meines ganzen Lebens waren. Meine Gelenke wurden steif, meine Muskeln verkrampften sich, ich wußte kaum noch, wie ich sitzen oder hocken oder liegen sollte. Spinnen krabbelten über meine Beine, und einmal kam es mir so vor, als ob etwas dicht an meinem Ohr schnupperte. Ich fragte mich,

wie viele Nächte wir wohl so warten würden. Vielleicht
würden sie nie kommen.

Aber sie kamen.

»Scht!« war das erste, was wir von ihnen hörten. Dann
das Ächzen des Eisentors, als sie darüberkletterten. Das
wischende Geräusch, das ihre Kniestrümpfe an den Grä-
sern machten. Die Tritte ihrer Schuhe. Ihr unterdrücktes
Gemurmel und Gezischel. Ich hatte eine Gänsehaut. Das
war schlimmer als Geister.

Sie liefen an der Laderampe vorbei, und wir sahen ihre
Beine, als sie an uns vorübergingen. Das Gestrüpp vor dem
Kellerloch raschelte, und einer von den beiden sagte recht-
haberisch: »Siehst du?« und der andere: »Mensch, sei doch
leise!«

Eine Taschenlampe wurde eingeschaltet. Ein kläglicher
Rest des Lichtscheins drang bis zu uns herüber. Eine ganze
Weile geschah gar nichts, nur das Gezischel und Geraune
schien kein Ende zu nehmen. Dann verschwand das Licht,
und es wurde still. Herb streckte den Kopf aus der Dek-
kung, sah sich um und lauschte. Dann bedeutete er mir mit
einer Handbewegung, ihm zu folgen, und wir schlichen
zum Kellerloch hinüber.

Man konnte am Lampenlicht sehen, daß sie im ersten
Raum waren. Ihre Stimmen klangen dumpf und sehr leise
zu uns herauf. Die Kellerwände verstärkten den Schall
nicht, sie dämpften ihn eher. Vielleicht lag es daran, daß sie
mit Holzregalen verkleidet waren.

Dann hörten wir das quietschende, schleifende Ge-

räusch, als sie den großen Riegel von der Tür in den zweiten Kellerraum zurückzogen. Das Lampenlicht verschwand.

Wir bückten uns und spähten durch das Kellerfenster.
Jetzt konnte man das Licht wieder sehen, aber weiter weg.
Sie waren jetzt im zweiten Raum.

Herb schoß wie eine Schlange durch das Kellerfenster,
ich rutschte erheblich unbeholfener hinterher. Die beiden
Jungs drehten sich erschrocken um. Sie standen an der ver-
schlossenen Tür ganz hinten. Wir konnten ihre Gesichter
nicht sehen, weil sie ihre Taschenlampe auf uns richteten.
Ich sah, daß Herb grinste. Wir knallten die schwere
Metalltür zu und schoben den massiven Riegel vor. Dann
kletterten wir aus dem Kellerloch und benutzten den Ast,
um das Eisengitter wieder in seine ursprüngliche Position
zu bringen.

In dieser Nacht schlief ich nicht.

Der nächste Tag war ein Feiertag, und der Tag darauf ein
Samstag. In der Fabrik wurde nicht gearbeitet, und manche der Leute nutzten das lange Wochenende, um zum
Zelten an die Küste zu fahren. Zwei aus der Fünfer-Clique,
zu der Horst und sein Bruder gehörten, waren unter den
Glücklichen, die an den Strand durften. Der dritte spielte
drei Tage lang mit uns Fußball auf dem Spielplatz, weil wir
ihm klarmachten, wir hätten keine Lust auf »Cowboy und
Indianer« auf dem alten Fabrikgelände.

Vermuten Sie jetzt, daß die Polizei währenddessen die

gesamte Gegend nach Horst und seinem Bruder durchgekämmt hat damals?

Tja, Sie kannten Herb nicht.

Herb hatte das Gerücht ausgestreut, daß Horst und sein Bruder von zu Hause weglaufen und zu ihrer Oma flüchten wollten, weil ihr Vater Alkoholiker war und sie dauernd prügelte. Niemand sah einen Anlaß, das zu bezweifeln, am allerwenigsten die Polizei. Es wäre übrigens auch nicht das erste Mal gewesen, daß Horst und sein Bruder zu Verwandten verschwanden, ohne erst groß um Erlaubnis zu bitten.

Natürlich, man befragte ein paar Leute. Nicht nur die Verwandten, auch uns Mitschüler. Aber richtig gesucht wurde nicht. Jedenfalls nicht gleich. Natürlich haben sie zum Schluß doch noch suchen müssen, aber das war erst später, und lange hält es ein Mensch ohne Wasser nun mal nicht aus.

Die alte Fabrikhalle wurde zwar durchkämmt, aber niemand hat das schwere Eisengitter hochgehoben, das der einzige Zugang zum Keller war. Alle anderen Türen waren verschlossen und die Schlösser so zugerostet, daß man sie nur mit schwerem Werkzeug hätte öffnen können. Und man sah den Türen ja an, daß sie seit Jahrzehnten nicht geöffnet worden waren. Deshalb haben sie sich nur oben in der Halle umgeschaut, wo man durch die zerbrochenen Fenster hineinkommen kann, wenn man eine Leiter hat.

Irgendwann landete die ganze Sache natürlich auch in der Zeitung, und ab dann war's mit der Suche in unserer

Stadt sowieso aus. Sie glauben ja gar nicht, wo man Horst und seinen Bruder überall gesehen haben will. Köln, Berlin und New York City gehörten da noch zu den wahrscheinlicheren Stationen ihrer Flucht. Man hätte fast glauben können, die beiden wären nun doch noch mit dem Papst Tee trinken gegangen.

Gefunden hat man sie bis heute nicht.

Sehen Sie, deshalb hab ich später immer gemeint, daß an der Astrologie vielleicht doch etwas dran ist: Ein Stier hat einen ausgeprägten Hang zu besonders gründlichen Problemlösungen. Wegen seines Sicherheitsbedürfnisses. Das man nicht mit Angst verwechseln sollte. Es ist eher eine Art Ordnungsliebe.

Herb und ich verbrachten einen herrlichen Sommer. Ich schlief zwar nachts nicht gut, aber die Tage waren wunderschön. Es schien überhaupt nie zu regnen. Die Sonne glänzte auf den Schienen und glitzerte auf dem Schotter des Bahndamms. Alle Jungs trugen kurze Hosen und hatten aufgeschrammte Knie, und ich spielte mehr Fußball als jemals zuvor und jemals wieder in meinem Leben.

Komisch übrigens, Herb hat sich seitdem tatsächlich für Fußball interessiert. Er bekam irgendwie Spaß daran. Ich denke, er hatte entdeckt, daß es doch guttut, wenn man nicht ununterbrochen über Zustand und Ursprung des Universums nachdenkt.

Blöderweise ist er ausgerechnet ums Leben gekommen, weil er es so eilig hatte, noch rechtzeitig zur Fernsehübertragung dieses verdammten Länderspiels nach Hause zu

kommen. Wieso hat er sich auch keinen Fernseher an seinen Arbeitsplatz gestellt, er lebte doch praktisch in diesem
Labor. Wer weiß – ein Jahr vielleicht noch, vielleicht auch
nur noch ein halbes, und er hätte seine Forschungen been-
det und wäre ein sicherer Anwärter auf den Nobelpreis gewesen. Sein Tod war eine Schande für die sogenannte Vor-
sehung, eine Verschwendung, ein unglaublicher Verlust.

Ich verstehe nicht, warum Gott das zugelassen hat. Ehrlich nicht.

Astrid Paprotta *Der Schuhverkäufer*

Er sah sich das Schaufenster an, lieblos zusammengewürfelt lagen die Schuhe herum, braune und schwarze und weiße. Früher, als er hier gearbeitet hatte, war es ein schönes Fenster gewesen, jetzt fiel ihm auf, wie schlampig die Dekoration war. Natürlich konnte man in einem Schuhgeschäft nur Schuhe präsentieren, doch so stümperhaft hatte er das nie gemacht, das paßte zu ihr. Die Besitzerin des Ladens soff und war zu faul und hatte von Ästhetik keine Ahnung, nur vom Geld. Er lächelte, als er sie hinter der Kasse stehen sah, sie würde die erste sein, erst sie und dann das übrige Volk.

Sein Name war Lohmann, und als er noch in diesem Laden gearbeitet hatte, war es ihm vorgekommen, als hieße er Kommensiedochmal. Täglich ein dutzendmal ihre kreischende Stimme, *Kommen Sie doch mal*, sobald er auch nur eine Sekunde lang Pause machte, *Kommen Sie doch mal*, und dann streckten ihm wildfremde Leute die Füße entgegen, um sie unter seinen Augen, seiner Nase in neue Schuhe zu zwängen, wobei sie fragten: Weiten die sich noch, doch wie sollte er das wissen, er steckte nicht drin, steckte ja buchstäblich nicht drin. Männliche Kunden hatten nie so ein Theater gemacht, aber die Frauen waren richtig stolz gewesen, wenn sie Schuhe fanden, die eigentlich eine Nummer kleiner waren als die, die sie gewöhnlich

trugen. Umgekehrt würden sie sich eher die Zehen abhak-
ken lassen, ehe sie einen viel zu engen Schuh eine Nummer
größer nahmen als üblich. Die fallen klein aus, hatte Lohmann dann gesagt, doch sie glaubten ihm nicht, wenn er
hinzufügte, die Nummer größer sehe man dem Schuh
doch gar nicht an, nein, sie nahmen den engen. Sie bestan-
den darauf, Schuhgröße 40 zu tragen, *allerhöchstens* 40,
manchmal sogar 39, aber nie im Leben 41, und die Chefin
unterstützte das noch, stand gähnend an der Kasse herum
und erzählte, was für ein apartes Schühchen das war, neu
aus Mailand, neu aus Paris, vor fünf Minuten eingeflogen,
butterweiches Leder, vielen Dank für den Besuch. Faul
und fett überstand sie ihre Tage, um am Abend das Geld
zu zählen, während Lohmann dann noch immer vor den
letzten Füßen des Tages kniete, das war sein Leben gewesen, das Leben eines Schuhverkäufers. Die letzten unver-
schämten Kunden waren ja grundsätzlich zwei Minuten
vor Ladenschluß erschienen, *Kommensiedochmal*, kreischte die Chefin, die Dame sucht Pumps. Er würde sie töten.
Er würde sie alle töten.

Lohmann lächelte und sah in die Sonne, sie legte sich
wie ein roter Schleier über seine Augen. Weiße Wolken am
blauen Himmel, der Gewehrlauf war schwarz. Alles paßte,
all seine Lieblingsfarben, alles fügte sich zusammen, wie es
mußte. Das Gewitter würde im Sonnenschein kommen,
gleich, ohne Vorwarnung, sein eigenes Gewitter, grollend
und tobend aus einem strahlenden Himmel heraus, und es
würde sie verschlingen, alle miteinander, alle.

Er drehte den Kopf, und als er dem Blick des Kioskpächters begegnete, lächelte er noch immer. Nebenan
beugte er sich aus seinem Verschlag, wie hieß der Mann
noch gleich? Irgendwann einmal hatte er ihm seinen Namen genannt, doch jetzt wollte Lohmann ihn gar nicht
mehr wissen. Möglich, daß er ihn die ganze Zeit beobachtet hatte, wie er in das Schaufenster guckte, ein kleiner Mann, der nicht viel sprach. Er war schon hier gewesen, als Lohmann Schuhverkäufer war, kam morgens um
sieben und schloß abends um acht und verkaufte, was
anfiel, Zeitschriften, Zigaretten, Zinnober. Was er dafür
bekam, war eine Kundschaft mit Lebensabriß, denn den
halben Tag stand das Volk da und schwatzte, die Schwie-
gereltern lassen sich scheiden, die Tochter ist sitzengeblieben, der Opa wird wunderlich. Aha, sagte der Pächter dann, manchmal ließ er sich auch zu einer richtigen
Antwort hinreißen, was Sie nicht sagen! Das ist ja
schlimm. Stammkunden fragte er: Was sind Sie denn für
ein Sternzeichen, denn wenn die Leute auch auf nichts
eine gescheite Antwort wußten, das Sternzeichen hatten
sie parat.

Stier, hatte Lohmann geantwortet, das war schon eine
Weile her, und damals war es ihm egal gewesen, Stier, na
und? Lohmanns Frau war Wassermann und die Kinder
Löwe, zwomal Löwe, so brüllten die auch. Bedeutet das
was, er hatte gelacht, Stiere sollen doch reizbar sein, oder?
In Spanien, sagte der Pächter, da schon. Astrologisch gesehen sei es aber so, daß der Stier seine Energien ausdauernd

einsetze, ein Ziel mit aller Kraft verfolge, Taurus war ein tiefgründiges Wesen.

Taurus? Damals hatte Lohmann das Wort nicht gekannt, na eben Stier, sagte der Pächter, Taurus, so hieß das Sternzeichen korrekt. Ein schönes Wort, Lohmann hatte es liebengelernt, Taurus, etwas Gigantisches, Gewaltiges stellte er sich jetzt vor, etwas, das zürnte und rächte und schrie. Das, was er jetzt war, Taurus. Keiner konnte es sehen, niemand wußte, wie nah der Tod schon war, das Ende von allem.

Sollte er noch einmal mit ihm reden? Der Pächter sah ihn an, er war immer freundlich gewesen, freundlich auf seine eigene Art. Jetzt beugte er sich Lohmann entgegen, was ein komischer Anblick war, ein Kopf und ein Oberkörper, dahinter der dunkle Verschlag, was soll's denn sein? Lohmann lächelte und fragte: »Wie stehen die Sterne?«

»Tja«, der Pächter holte ein paar Zeitschriften und schlug sie auf, »die Sterne wackeln ein bißchen«, murmelte er, »zumindest bei mir, wissen Sie, was diese Woche bei mir steht?« Er nahm das Blatt, eine Sex-Illustrierte, und las vor: »*Widder. Trotz aller Vorsicht bekam die Mutter der Porzellankiste ein Kind – Dienstag können Sie es wieder ins reine bringen.*« Er begann mit dem Blatt zu fuchteln. »Wissen Sie, was Dienstag ist?« Mit einem Finger deutete er auf Lohmann. »Dienstag kann ich überhaupt nichts ins reine bringen, da hock ich den halben Tag beim Zahnarzt und hab dann anschließend über Stunden 'ne taube Fresse, da hab ich hier zu, also ich bitte Sie, was soll ich ins reine bringen?« Etwas unschlüssig drehte er die Sex-Illustrierte in der Hand, dann reichte er sie Lohmann herunter und fragte, ob er sie haben wolle, doch Lohmann lachte nur beim Anblick der Frau auf dem Cover. »Glaubst du, ich hab das nötig?« Mit dem Fingernagel schnippte er gegen eine nackte Brust, daß denen von der Titelblattgestaltung nichts anderes einfalle, könne er nicht begreifen. »Was soll ihnen denn einfallen?« fragte der Pächter. »Na, ein gescheites Titelbild!« Lohmann nickte. »Ein gescheites Titelbild täte so einem albernen Blättchen ganz gut, ein schwarzer Hund oder so, oder ein Stier.« – »Auf der Sex-Illu«, fragte der Pächter, »ein Tier?« Doch Lohmann sah wieder in den blauen Himmel, der sich verdunkeln würde, obwohl die Sonne noch immer schien. Sein Werk würde das sein, Taurus. Er reichte dem Pächter das Blättchen zurück. »Von Ästhetik haben die keine Ahnung«, sagte er.

»Na ja«, murmelte der Mann, dann holte er ein anderes Blatt und las vor: »*Stier. Ihr Reden führt zu keinem Ziel. Donnerstag droht eine leichte Unpäßlichkeit. Tauchen Sie die Arme in kaltes Wasser. Abends hilft eine heiße Dusche.* Na ja«, er hustete, »was da halt so steht.«

Was manche Leute denn gegen das Baden hätten, fragte Lohmann, als er dem Pächter Geld für einen Schokoriegel gab, irgend etwas mußte er ja kaufen. Früher hatte seine Frau ihm Brote für die Mittagspause gemacht, aber sie hatte irgendwann damit aufgehört, interessierte sich ohnehin für nichts anderes als für die Schulnoten der Gören und die

Berufe anderer Männer, der Werner, der hatte jetzt den Abteilungsleiterposten, und der Martin machte sich selbständig, das fand die Schlampe interessant. Aus purer Gehässigkeit hatte sie immer wieder das Konto überzogen, für Jacken und Röcke und Handtaschen und für lauter albernen Kinderkram. Konnte nicht Maß halten, hatte es nie gekonnt, oder es war ihr egal, wer wußte das schon. Er hob die Arme und ballte eine Hand zur Faust, und die Faust kam auf den Kioskpächter zu, blieb in der Luft hängen, was nun das Baden betraf – Lohmann schloß die Augen, es ließ sich jederzeit abrufen, dieses Gefühl, im warmen Wasser zu liegen, es gab Gefühle, die waren einfach immer da –, sicher beruhigte Baden mehr als Duschen, doch selbst das Baden nervte bei ihm zu Hause in diesem kleinen, engen Loch, wo sie Bad und Klo nicht getrennt hatten, denn wenn er einmal in Ruhe baden wollte, kam unter Garantie ein Gör und wollte das ganze Bad für sich, oder die Frau brüllte, sie müßte. Sie mußte immer, auch bei Bekannten ging sie als erstes aufs Klo, was wahrscheinlich daher kam, er kicherte, weil sie ja Wassermann war.

»Kann sein«, sagte der Pächter, »haben Sie noch einen Wunsch?«

»Was denen so einfällt«, Lohmann schüttelte den Kopf, »Duschen statt Baden.« Was die so alles schreiben, lauter Knallköpfe, überall nur Idioten, die keine Ahnung haben, aber fleißig Zeitschriften machen, Fernsehprogramme verhunzen, Regierungen bilden und die Menschheit allesamt verarschen.

»Tja«, sagte der Pächter, »so ist das«, und Lohmann nickte, die Idioten waren überall, auf den Straßen wie zu Hause, wo die Kinder, diese blöden Gören, ihm das Geld aus der Tasche zogen für aberwitzige Hosen und Kappen und Hemden, ohne Rücksicht darauf, ob er nun Arbeit hatte oder nicht, Sachen, die er selbst noch nicht einmal zum Karneval trüge, Sachen, in denen ein vernünftiger Mensch sich genieren mußte, die trugen die Kinder, acht und zehn und geschmacklich schon so was von verkorkst. »Tja, sie sind jung«, sagte der Pächter, aber Lohmann rief, die wären nicht mehr jung, die krähten anzügliche Worte den ganzen Abend lang, und seiner Frau war es egal. Er blinzelte, die Sonne fiel schräg auf sein Gesicht. Möglich, daß der Pächter, sobald es losging, in seinem Verschlag verschwand, daß er sich duckte und verschont blieb, er hatte es vielleicht sogar verdient.

Wann fing er an? Diese Ecke hier war richtig, man hatte den Blick aufs Gewimmel. Lohmann bewegte den Kopf hin und her und sah zu, wie die Leute an ihm vorüberliefen, so schnell, als ahnten sie die Gefahr. Die sahen einen gar nicht an, die guckten ganz woanders hin. Seine Frau sah ihn auch kaum mehr an und schon gar nicht die Gören, wie hießen sie gleich? Anja? Max? Sie lachten dauernd, über ihn vielleicht, wer wußte, was sie in den Hirnen hatten, kicherten so blöd wie Gören eben kicherten, und am Küchentisch, wo sie ihm ein Eckchen reserviert hatten, als ob er auf Besuch gekommen war, ein entfernter Verwandter, auf dessen Abreise man hoffte, hatte er das erste Mal an das Gewitter gedacht, an die Reinigung, den großen Sturm aus seiner Hand.

Da vorn an der Ecke der Supermarkt, der war voll um diese Zeit, ein Haufen Volk kam heraus, kam direkt auf ihn zu. Hier hatte er sie kennengelernt, Lissy, seine liebe Frau. Ein paar Wochen lang hatte er gar nicht mehr aufhören können, immer wieder Lissy, Lissy zu sagen, obwohl es doch albern war, eine Frau Lissy zu rufen, die bloß Lisa hieß. Er hatte an der Käsetheke gearbeitet und ihr wochenlang Häppchen gemacht, kostenlose Häppchen, halb besoffen von dem Gefühl, sie zu sehen. Jahre später sagte sie, daß sie damals geglaubt hatte, er arbeite als Aushilfe da, warum als Aushilfe, wollte er wissen, nur so, hatte sie gesagt. Er wollte Filialleiter werden, das hatte nicht geklappt. Damals war ihr Lächeln schön gewesen, und dann, mit einem Mal, war sie schon ein halbes Leben lang seine Frau. Als ob man eingeschlafen war, wie die Tiere im Winterschlaf, man kroch dann hervor und erkannte nichts wieder. Sie hatten das erste Kind schon, da war er noch immer nicht Filialleiter, sie hatten einen anderen vorgezogen und dann noch einen anderen, es waren immer andere gewesen, und er hatte alles hingeschmissen und war in einer Drogerie gelandet und danach im Schuhgeschäft, und das war ja das Komische, daß er, wollte er sein Leben erzählen, gar nichts zu erzählen hatte.

Wo gibt's denn so was, hatte Lisa-Lissy gesagt, wo gibt's

denn männliche Schuhverkäufer? Da hatten sie schon das
zweite Kind, die Zeit war weggeflogen und hatte nichts
zurückgelassen, noch nicht einmal Erinnerungen.

Nur der Rummelplatz fiel ihm manchmal noch ein, eine
Nacht aus Zuckerwatte und Leierkastenmusik und Lisa-
Lissy, wie sie seine Hand hielt in der Geisterbahn und auf
dem Riesenrad den Kopf an seine Brust legte, dieses Riesenrad mit dem ganzen Gedränge untendrunter, Gewimmel aus Beinen und Armen und Köpfen, wie jetzt. Er sah
hin. Ein paar Atemzüge noch, dann starben sie alle.

Das Wetter half, die Sonne trieb ihm das ganze Volk in
die Arme, von überallher kamen sie, um in die Sonne zu
blinzeln, Eis zu essen, sinnlos Geld auszugeben, irgend jemanden abzuknutschen, auf offener Straße zu zeigen, wie
gut sie sich fühlten; er lächelte. Jetzt war es gleich vorbei,
Schluß mit lustig, Schluß mit allem.

Hinter der Fensterscheibe des Schuhgeschäftes konnte
er den breiten Rücken der Chefin sehen, die Hälfte vom
Rücken und einen angewinkelten Arm, sie soff sich wohl
wieder durch den Tag. Jeden Morgen um Viertel vor neun
kaufte sie am Kiosk einen Flachmann, sie brauchte bloß einen, hatte sie immer erzählt, ein winziges Flachmännchen
über den Tag verteilt, also praktisch gar nichts. Lohmann
hatte nie etwas dazu gesagt, denn wer wußte schon, ob sie
in der Mittagspause nicht in der halben Stadt ihre Flach-
männer kaufte, überall nur einen, überall praktisch gar
nichts. Er hatte nie sehr viel gesagt, doch einmal hatte er
ihr geschrieben, daß sie sterben würde, elend sterben, wie

diese ganze faule Bande, die herumsaß und sich Schuhe zeigen ließ, die ein Vermögen kosteten, ein Brief ohne Absender, den sie nie erwähnte, nie hatte sie ihn ins Vertrauen gezogen, nie gesagt, daß ihr etwas Schlimmes widerfuhr, daß jemand sie bedrohte. Er kam näher, da stand sie, und als er abdrückte, lief ein Zittern über seinen Arm und zog kribbelnd eine Spur bis zum Herzen hin.

Jetzt.

Die Kugel schwebte so sauber und glatt durch die Scheibe, daß es nur ein ganz zartes, helles Geräusch gab, so als tippte man mit einem Löffel gegen Glas. Sie fiel nach vorn, direkt aufs Gesicht, einen halben Tuschkasten verbrauchte sie jeden Morgen, stand da mit viel zu roten Lippen, mit einer Puderquaste im Gesicht und klebrigen Wimpern, doch jetzt lag sie und blieb liegen. Alles verging, der Atem, der Herzschlag, das Leben, nichts war mehr so, wie es sein sollte, er hatte den Anfang gemacht.

Lisa-Lissy hatte ein einziges Mal dieses Schuhgeschäft betreten, es war ihr wohl peinlich gewesen, ihren lieben Mann vor fremden Füßen knien zu sehen, sie war ein bißchen eigen, trug den Kopf gern etwas höher, wollte aus den Kindern etwas anderes als Schuhverkäufer machen oder Käsethekenbewacher oder sonst etwas, worüber zu reden sich nicht lohnte. Sie war an der Tür stehengeblieben und hatte woanders hingeguckt, zu Mailänder Modellen vermutlich, nur nicht zu ihm. Sie brauchte den Wagen an diesem Tag, deshalb war sie ja überhaupt nur gekommen, um den Wagen zu holen, den Lohmann später dann

zu Schrott gefahren hatte, wie hast du das gemacht, hatte
sie im Krankenhaus gefragt, wie hast du das bloß angestellt?

Ja, wie hatte er das angestellt? Er reckte den Kopf, Blut
auf dem Boden des Schuhladens, ein Körper da unten, ein
unnützer Leib, und Schuhe drumherum, nichts weiter.

Lisa-Lissys Lächeln war ein Lächeln in den Augen gewesen, das war einmal das Besondere an ihr, jetzt fiel es
ihm wieder ein. Vielleicht hatte sie das letzte Mal so gelä-
chelt, als er ihr von all den Kunden berichtete, die mit
löchrigen Strümpfen ins Schuhgeschäft kamen und dann
an sich herunterglotzten und riefen, oh Gott, die waren
heute morgen aber noch ganz. Vielleicht hätte er den Laden übernehmen können, so wie er vielleicht hätte Filialleiter werden können, so wie er vielleicht hätte alles anders
machen können, sein Leben war wie ein Leben, das anderen passierte, man guckte zu und würde es viel besser machen, wenn man nur könnte. Dieses kleine Lächeln in ihren Augen hatte sie verscheucht, heute schob und schubste
sie ihn herum, kümmerte sich lieber um die Sonderwün-
sche der Gören, die alles mögliche wollten, Rollschuhe,
diese komischen Schlittschuhe für die Stadt, Walkman und
ein Hundevieh, immer nur haben, haben, haben, zu grin-
senden Ungeheuern hatten sie sich entwickelt, zu alles ver-
schlingenden Monstern, nicht besser als das ganze Volk
hier auf den Straßen. Er kniff die Augen zusammen, sah
Körper, die sich bewegten, sah Beine, Köpfe, Arme, wo
zielte man hin? Blauer Himmel immer noch, gezackte wei-

ße Wolken. Und sein schwarzes Gewehr, so kühl und glatt und stark, sein Gewitter, sein himmlischer Sturm, und wenn es hier vorbei war, würden sie woanders seinen Namen schreien, Taurus.

Passen Sie auf, hatte gestern in seinem Horoskop gestanden, *zwischen 11 und 15 Uhr gibt es leichte Meinungsverschiedenheiten*, ja, die gab es wohl, er lachte, Taurus, ja, diese überirdische Kraft, die ihn durchströmte, sie dehnte ihn aus und trieb ihn an und schraubte ihn in die Höhe, und jetzt machte er einen Satz, einen leichtfüßigen Weitspringersatz, und rannte zur Ecke hin, wo der Müllcontainer stand, rannte mit Riesenschritten, mit Sprinterschritten, mit Weltrekordschritten, und dann duckte er sich und legte wieder an.

Die Frau, die jetzt an der Ampel stand, war einmal ohne Strümpfe in den Schuhladen gekommen, was aber nicht ging. Er hatte sie gebeten, Socken anzuziehen, weil das sein müsse, man sollte keine Schuhe anprobieren, wenn man keine Strümpfe trug, eine Frage der Hygiene. Wie kommen Sie darauf, hatte sie leise gesagt, daß ich ungewaschene Füße habe, schließen Sie von sich auf andere? Er hatte damals schon gewußt, daß er sie töten würde, und als sie jetzt näher kam, sah sie nicht so aus, als wüßte sie, daß das Leben zu Ende war, was trug sie denn für Schühchen heute, mit Absatz oder flach? Sie wankte, als er schoß, stand einen Moment noch da, als überlege sie, was ihr zugestoßen war, sah so verwundert aus, als sie taumelte und fiel.

Schrie jemand? Das war möglich, ganz recht, der kleine König aus der Bankfiliale zeigte ihm sein ängstliches Gesicht. Ein herausgeputzter junger Affe, man sah seinen aufgerissenen Mund, sah viele aufgerissene Münder, sah rudernde Arme, die in der Luft hängenblieben, einen Moment noch sah man die Hände in der Luft, dann klatschten die Körper aufs Pflaster, ein Mann, eine Frau, ein Mann, eine Frau, sie hatten Mittag machen wollen. Herausgeputzt kamen sie aus den Büros und den Geschäften, irgendwie erwartungsvoll, so ein Sonnentag weckte immer Erwartungen an das Leben, doch wie schnell ging das Leben zu Ende. Er drückte ab und immer wieder, siehst du, *so.* So schnell kam die Angst und das Elend und der Schmerz. Ganz plötzlich kam der Schmerz und riß sie aus ihrem Leben, man taumelte noch, und dann war es vorbei. Er drückte ab, immer wieder, selbst die Kleidung saß nicht mehr, sah anders aus, farblos, ohne Muster, ohne Schnitt, nurmehr blutige Fetzen an den Leibern, nur noch Stoff, der sie umhüllte wie ein Leichentuch.

Alle starben. Der Mann mit dem Bart, die Frau mit dem Rad, der Kerl, an dessen Handgelenk eine goldene Uhr blitzte, als er panisch die Hände hob. Geleckte Affen, albernes Volk. Sie brüllten und bäumten sich auf, ein letztes Mal noch, als sie zu rennen versuchten und es nicht mehr konnten, nie wieder rennen, nur einen allerletzten Schritt noch, bevor sie jeden Halt verloren und so leicht aus dem Leben purzelten wie eins dieser Glastierchen, die seine Tochter im Setzkasten sammelte, geheult und getobt hatte sie, als ihm einmal ein kleiner Frosch herausgefallen war, du bist so doof, hatte sie ihn angebrüllt, den eigenen Vater, jetzt guck doch, jetzt guck doch!

Ja, das tat er, guckte es sich an, das war sein Sternengruß, Taurus, seht her, er ist da, begrüßt ihn doch. Jetzt wißt ihr, wie das ist, wenn man fällt, wißt, wie es ist, nicht mehr aufzustehen, nie mehr zu lachen und zu vögeln und zu leben. Schnell geht das, ziemlich schnell. Er sprang aus der Deckung hervor und schoß weiter und rannte und sprang und drehte das Gewehr, und sie wichen zurück, die Allerletzten wichen zurück, doch er schoß und hatte so viele Kugeln oder, wie nannte man das, blaue Bohnen, scharfe Schüsse, Munition.

Die Schreie, nichts dämmte sie ein, diese Schreie um ihn herum, er sah Beine, und wenn er den Kopf hob, konnte er die Menschen erkennen, die Menschen auf den Beinen. Vor einer Stunde waren diese Leute vielleicht noch um die Häuser gerannt, hatten die Beine gespürt, den ganzen Körper, der sie nun verließ, auf immer, auf ewig, so ein erbärmliches Gesindel, wie es da zuckte und kreischte und fiel, und er sah den Blick des Kioskpächters, der vielleicht ahnte, daß er sicher war in seinem dunklen Verschlag, und dann sah er Lissy, Lisa-Lissy, seine Frau, wie sie müde, schlurfend fast, vom Supermarkt kam. Sie kam auf ihn zu, sie trug zwei Taschen, er hatte ihr immer wieder gesagt, sie solle sich so ein Wägelchen kaufen, damit sie es leichter hatte, doch sie meinte, damit käme sie zu Hause nicht die Treppen hoch und müßte den ganzen Kram dann einzeln in die Wohnung schleppen, es war schon eine Weile her, daß er ihr hatte helfen können mit dem Tragen.

»Das hat ja ewig gedauert«, sagte er. Sie nickte bloß, deutete flüchtig auf den Supermarkt und sagte, es sei Mittagszeit, es sei voll überall. »Ist doch schönes Wetter«, fügte sie hinzu, schläfrig klang ihre Stimme, »was machst du denn wieder vor dem Laden hier, du warst doch da vorn.« Und sie sah die fünf Meter zum Kiosk zurück, nickte dem Pächter zu. »Paß auf«, sagte sie, »nachher kommst du noch auf die Straße.« Sie hängte eine der Taschen an den Griff, dann schob sie seinen Rollstuhl die Straße entlang, zweidreimal schoß er noch auf alles, was sich bewegte, doch alles bewegte sich weiter, und der kleine König aus der Bankfiliale, dieser herausgeputzte Affe, lächelte ihn höflich an und machte Platz.

Und? Lust bekommen auf noch mehr Astrokrimis?
Lesen Sie doch mal in die **Eiskalten Jungfrauen** rein ...

Jungfrauen sind rational, Finanzgenies und hoffnungslos irdisch. So sagt man. Aber wußten Sie, daß auch Jungfrauen magische Fähigkeiten besitzen? Wie gefährlich männliche Jungfrauen sein können? Haben Sie schon einmal überlegt, was geschieht, wenn die beste Freundin gleichfalls Jungfrau ist? Wenn sich Wiener Jungfrauen ein mörderisches Duell liefern? Wenn in Berliner Hinterhöfen immer mehr zerstückelte Jungfrauen auftauch? Wenn die heißeste Girl-Group des Jahres ausgerechnet *Virgin Scorpions* heißt?

Eiskalte Jungfrauen – sechsmal Lesespaß für alle Jungfrauen, Jungfrauen-Freunde und solche, die es noch werden wollen.
Und für alle, die einfach gerne gute Krimis lesen.

Gabi Hift
Fischlaich

Ich glaube nicht an Astrologie. Und die Sache mit Henni hat an meiner Meinung nichts geändert. Das heißt nicht, daß ich die Wirkung leugne, die der Sternenhimmel auf uns ausübt. In einer klaren Nacht nach oben zu sehen, kann uns in ein Staubkorn mit weit aufgerissenem Herzen verwandeln. Und wenn zu diesem Zeitpunkt jemand neben uns steht, treibt uns der Anblick diesem Jemand geradewegs in die Arme. Aber ich glaube einfach nicht, daß diese fernen, majestätischen Lichter im Augenblick meiner Geburt an meinen Chromosomen gerüttelt oder an meinen noch nicht myelinisierten Nervenfasern gezerrt haben sollen, um auf diese Weise meinen Charakter hervorzubringen. Henni hätte gesagt, so zu argumentieren sei typisch Jungfrau.

Als ich Henni zum ersten Mal begegnete, saß sie mit verquollenen Augen im Wartezimmer und las in einem Taschenbuch mit dem Titel Keine Lust zu leiden. Ich unterdrückte ein Lächeln und bat sie herein. Sie hockte sich auf die Stuhlkante und warf mir einen schrägen, grünlichen Blick zu. Können Sie sich an den Moment erinnern, bevor der Wolf in Der mit dem Wolf tanzt zum ersten Mal die Wurst abholt, die ihm Kevin Costner hinhält? Wie er auf dem Bauch vor- und zurückrobbt und jault und dabei unwiderstehlichen Charme entwickelt? So war Henni.

»Name?« fragte ich und rechnete damit, daß sie davonliefe.

»Sie sind Jungfrau, nicht?« Bei einer Wahrscheinlichkeit von einem Zwölftel kann man es nicht gerade ein Wunder nennen, daß sie mein Sternzeichen auf Anhieb erraten hatte, aber überraschend war es doch. Sie warf mir einen grünen Kontrollblick zu und zuckte mit den Mundwinkeln.

»Deswegen. Ich wollte nämlich eigentlich zu Herrn Doktor Fellner. Aber als Sie die Tür geöffnet haben, war da gleich sowas ...«

Ich war erstaunt – in mehr als einer Hinsicht. Die Damen, die männliche Gynäkologen vorziehen, sind gewöhnlich in fortgeschrittenem Alter. Henni schätzte ich auf Mitte Zwanzig. Außerdem sind diejenigen, die an Astrologie glauben, meist nicht gerade begeistert vom Zeichen der Jungfrau. Selbst wenn ich für Esoterik anfällig wäre, würde ich mich wohl kaum einer Lehre zuwenden, die so wenig Schmeichelhaftes über mich zu sagen hat. Wer läßt sich schon gern als kleinlich, pedantisch und unfähig zur Leidenschaft bezeichnen. Und das angebliche Geschick der Jungfrauen in Gelddingen – als wären sie mit einem eingebauten Taschenrechner zur Welt gekommen, sagt man – kann ich bei mir leider ganz und gar nicht entdecken.

Vermutlich gibt es im Zeichen der Jungfrau kaum Horoskopgläubige. Wer das Pech hat, zwischen Ende August und Ende September geboren zu sein, wird nicht nur von jedem dahergelaufenen Astrologus verunglimpft, sondern auch noch von den ewig gleichen idiotischen Witzen verfolgt. Schon als Halbwüchsiger wird einem von Männern mit dicken Zeigefingern unters Kinn gefaßt, und sie fragen schelmisch: »Na, ist das auch wirklich wahr?« Wird man älter, grölen sie: »Was? Immer noch?!« und klatschen sich auf die Schenkel. Also überraschte es mich einigermaßen, daß dieses junge Mädchen seine spontane Affinität zu mir mit meinem Jungfrau-Sein begründete. Erstaunlicherweise war auch sie mir unmittelbar sympathisch. Gewöhnlich fällt es mir nicht schwer, zu meinen Patientinnen eine gleichmäßig-freundliche Distanz aufzubauen, aber schon Hennis erster schräger Blick war durch diese Schicht gedrungen wie das Messer durch die Butter.

»Ich bin nämlich Fisch. Und Jungfrau ist der Gegenpol der Fische. Das ist eine ganz starke Verbindung.« Ihre Stimme wurde immer leiser, und ihre Finger zwirbelten am Rocksaum. »Wahrscheinlich glauben Sie nicht dran. Jungfrauen tun das meistens nicht, die sind so rational. Aber der Gegenpol, das ist genau das, was ich jetzt ... brauche.« Bei »brauche« fing sie an zu weinen.

In ihrem Abstrich wimmelte es von Trichomonaden. Ich habe diesen Anblick immer vergnüglich gefunden. Es sieht aus, als wuselten kleine, gutgelaunte Tintenfische über den Objektträger.

»Kein Grund zur Sorge«, sagte ich und überreichte ihr ein Päckchen Trichex aus meinem Vorrat an Gratisproben.

»In drei Tagen ist alles vorbei. Der Partner muß selbstverständlich mitbehandelt werden.«

»Das geht nicht.«

Nach und nach holte ich die ganze Geschichte aus ihr heraus. Er war natürlich fort mit einer anderen.

»Sie sollten mit einem Mann, dem Sie nicht vollständig vertrauen können, auf keinen Fall ungeschützt verkehren.«

»Das habe ich auch nicht.«

»Ich verstehe«, sagte ich. Später sollte sich herausstellen, daß ich sie zu diesem Zeitpunkt keineswegs richtig verstanden hatte.

»Sie können sich nicht vorstellen, wie das ist, ein Fisch zu sein. Man schwimmt praktisch in Gefühlen. Für Fische gibt es überhaupt kein Ufer.«

Soviel Unsinn macht mich sonst eher ungeduldig. Sie würden nicht glauben, was man tagaus, tagein in einer Gynäkologenpraxis zu hören bekommt. Es ist, als hätten all die Jahre der Aufklärung nichts bewirkt, und manchmal macht mich das ganz schön wütend. Aber an Henni fand ich es liebenswert. Sie schien mir eine von der meinen ganz unterschiedliche, höchst interessante Lebensform zu sein. Schon damals dachte ich, daß es ein Verlust für mich wäre, nicht mehr von diesen schrägen grünen Blicken getroffen zu werden.

Es stellte sich heraus, daß Henni nicht nur ohne Mann, sondern auch ohne Arbeit war. Zu diesem Zeitpunkt waren Frank und ich schon die zweite Woche ohne Sprechstundenhilfe. Unsere treue Perle war aus einem Urlaub nicht zurückgekehrt. Ein Anruf bei ihrer Mutter hatte ergeben, daß sie nicht erkrankt war, sondern, wie sich die Mutter ausdrückte, »jemanden sehr Vielversprechendes« kennengelernt hatte und entschlossen war, die Chance zu nutzen.

Wir behalfen uns damit, die Tür selbst mittels eines Summers zu öffnen. Seitdem waren aus dem Wartezimmer zunächst sämtliche Zeitschriften verschwunden, dann alle Aschenbecher und schließlich sogar eine ziemlich große Topfpflanze. Außerdem wußten wir bei neuen Patientinnen nie, ob sie zu Frank oder zu mir wollten – so war ich ja auch an Henni geraten. Jetzt hatte ich sofort die Idee, Henni den Job anzubieten, machte mir aber Sorgen wegen Frank.

Frank Fellner war mein Partner in der Praxis und auch sonst. Aber vielleicht hätte er es nicht so bezeichnet; ich weiß es nicht. Es ist ziemlich schwer zu erklären, wie die Dinge damals zwischen Frank und mir standen. Wir hatten während des Studiums eine Zeitlang ein Verhältnis gehabt, uns dann aber aus den Augen verloren. Meine Leidenschaft gehörte der Frauenbewegung, und ich nehme an, für ihn war nicht viel übrig. Gleich nach dem Diplom hatte ich mit ein paar anderen Frauen ein feministisches Gesundheitszentrum gegründet. Ich lief damals jeden Tag nach meiner Arbeit im Krankenhaus hinüber, um zu malern und Leitungen zu verlegen und bis in die Nacht hinein zu diskutieren, und jeden Tag freute ich mich darauf. Es war eine verrückte Zeit. Wir waren alle aufgeregt und überzeugt davon, etwas Wichtiges zu tun – und nicht besonders realistisch.

Ich war die einzige mit einem festen Einkommen, also übernahm ich die Bürgschaft für die Kredite. Die ersten Jahre lief es ganz gut, aber dann begannen unsere Meinungen auseinanderzugehen. Immer häufiger kam es zu Streitereien über alles mögliche, über das Matriarchat, die Abtreibungspille, Makrameekurse, Lunazeption, über die Frage, ob lesbische Frauen bessere Feministinnen seien und über die Notwendigkeit einer Frauenpartei. Schließlich explodierte das Ganze, und ich blieb mit einem riesigen Berg Schulden zurück. Vielleicht verstehen Sie jetzt, wieso ich empfindlich reagiere, wenn jemand sagt: »Ach, Sie sind Jungfrau? Na, da können Sie bestimmt gut mit Geld umgehen«, oder: »Jungfrau! – Keinen auf der Matratze, aber jede Menge drunter, was?«

In dieser Lage war ich froh, als Frank mir anbot, mich in seiner Praxis anzustellen. Bevor der Kredit abbezahlt war, konnte ich nicht daran denken, mich selbständig zu machen.

Wir waren uns auf einem Gynäkologenkongreß wieder über den Weg gelaufen und nach einem letzten Drink an der Bar gemeinsam in seinem Hotelzimmer gelandet – der alten Zeiten wegen. Ein paar Tage später war dann der Anruf gekommen, und ich hatte den Eindruck gehabt, daß sein Angebot möglicherweise nicht nur die Mitarbeit in der Praxis betraf, obwohl darüber nicht gesprochen wurde. Tatsächlich gingen wir schon nach meinem ersten Arbeitstag miteinander ins Bett und danach immer wieder. Wir gingen essen und ins Kino, und manchmal ging ich sogar mit ins Fußballstadion.

Anfangs war es aufregend, nicht darüber zu sprechen. Es war, als hätten wir ein Geheimnis. Wenn wir in unseren blütenweißen Mänteln in der Praxis miteinander fachsimpelten, dachte ich daran, was wir in der Nacht getan hatten und in der nächsten Nacht wieder tun würden. Wie Sie sich sicher denken können, ist es für Gynäkologen im Privatleben schwer, über Sexuelles zu reden, und ich nahm an, darin liege der Grund für Franks Schweigen. Und es war ja auch nicht so, daß er sich in der Öffentlichkeit von mir distanziert hätte. Im Gegenteil, er schleppte mich überallhin mit und stellte mich als seine »brillante Kollegin« oder »wunderbare Mitarbeiterin« vor. Einmal nannte er mich »die bessere Hälfte seiner Praxis«. Danach konnte ich über mehrere Minuten meinen Herzschlag fühlen. Er war nicht etwa beschleunigt oder unregelmäßig, ich bin ja kein Teenager mehr, nur eben spürbar. Ich dachte, das könnte eine Art Anspielung sein, aber Frank kam nicht darauf zurück, und mein vegetatives Nervensystem beruhigte sich wieder.

Wenn mir meine Freundinnen von den stundenlangen, quälenden Beziehungsdiskussionen berichteten, die sie in schöner Regelmäßigkeit mit ihren Männern führten, fühlte ich mich ihnen überlegen. Und doch ... Immer öfter überfiel mich die Lust, wie in einem schlechten Film nach seiner Hand zu greifen und zu sagen: »Oh Frank, laß uns endlich über alles sprechen.« Insgeheim bedachte ich ihn mit kindischen Kosenamen und schmiedete Pläne für unsere Zukunft. Gott sei Dank ahnte er nichts davon.

Als ich Henni von dem Job in der Praxis erzählte, war ich mithin nicht ganz uneigennützig; ich erwartete mir auf merkwürdige Weise Hilfe von ihr. Sie hatte so eine Art an sich, die die Stimmung in einem Raum veränderte. Falls Sie in meinem Alter sein sollten, werden Sie sich bestimmt noch an die Zeit erinnern, in der man von »vibrations« sprach. Nun, und Henni hatte zweifellos die Gabe, diese vibrations zu beeinflussen. Als ich ihr damals gegenübersaß, hatte ich – nein, nicht direkt das Gefühl betrunken zu sein; es war mehr so, als wäre alle Welt außer mir beschwipst und als könnte ich mich daher ruhig auch ein wenig gehenlassen. Ich erinnere mich zum Beispiel, daß ich einfach ihre Hand genommen habe – eine Geste, über die ich in bezug auf Frank schon nachgedacht hatte, die mir aber ansonsten nur bei kleinen Kindern angemessen erscheint. Henni begann dabei wieder zu weinen, und wenn ich mich recht entsinne, tat ich nichts, um das zu beenden; das Getropfe auf meine Hand war mir sogar angenehm. Als ich ihr von dem Job erzählte, war sie sofort begeistert.

»Es wäre phantastisch für mich, an einem Ort der Heilung zu arbeiten«, sagte sie und schneuzte sich. »Und in Ihrem Gebiet ist ja praktisch alles psychosomatisch, hängt also von den Sternen ab. Und da kenne ich mich ein bißchen aus.«

Ich dachte, daß Frank sie niemals einstellen würde, wenn er sie so reden hörte. Er haßte »esoterisches Gequatsche« – und schließlich war es seine Praxis, also auch seine Entscheidung.

Henni entsprechend zu instruieren erschien mir aber nicht sehr erfolgversprechend. Ich konnte nur hoffen, daß in der kurzen Zeit – Frank und ich hatten Konzertkarten für den Abend – das Gespräch nicht auf solche Dinge kommen würde. Natürlich hatte ich – wie später noch oft – meine Rechnung ohne Henni gemacht.

»Das ist Fräulein Schopp. Sie könnte sofort als Sprechstundenhilfe bei uns anfangen. Sie wäre unsere Rettung«, sagte ich zu Frank und schob Henni auf ihn zu.

»Schopp wie Schupp«, sagte Henni und streckte die Hand aus. »So kann man sich's leicht merken. Ich bin nämlich Fisch. – Und Sie sind Löwe«, fügte sie nach einer kleinen Pause hinzu.

Nun ist alles verdorben, dachte ich. Vor Enttäuschung vergaß ich, überrascht zu sein. Wider Erwarten lachte Frank jedoch und fragte: »Woran haben Sie das erkannt? An meiner wilden Mähne?«

Frank hat eine Glatze, und ich hoffte, Henni wäre klug genug über seinen Scherz zu lachen. Statt dessen sagte sie mit gleichbleibender Ernsthaftigkeit: »Nein. An Ihrem Glanz.«

Nun glänzt Franks Glatze zwar, aber selbst ihm muß klar gewesen sein, daß Henni etwas anderes meinte.

»Er ist königlich«, fügte sie mit einer Art Unwillen in der Stimme hinzu, als wäre sie gezwungen, das zu sagen.

Frank schwieg eine Weile, und ich dachte, er würde sie kühl verabschieden, aber dann sagte er: »Sie können also gleich morgen früh anfangen? Das ist wirklich ein Glückkfall.«

»Sie schlagen Ihre Beute im Sprung. Ohne zu zögern.« Diesmal lächelte Henni, so daß man den Satz für einen merkwürdigen Witz halten konnte, wenn man wollte.

»Also abgemacht«, sagte ich. »Ich freue mich auf Sie.«

Und das tat ich wirklich.

An diesem Abend hörten wir im Konzert La mer von Debussy. Ich stellte mir Henni mit einem Fischschwanz vor, und dann begannen meine Gedanken zu wandern. Die Wahrscheinlichkeit, das Sternzeichen eines Menschen richtig zu erraten, liegt bei einem Zwölftel. Die Wahrscheinlichkeit, daß Henni zufällig sowohl Franks als auch mein Zeichen raten würde, war also ein Einhundertvierundvierzigstel oder etwa 0,7%. Ein statistisch hochsignifikantes Ergebnis. Sollte ich mich ein Leben lang geirrt haben? Gerade als ich begann, mein Weltbild ein bißchen ins Schaukeln zu bringen (was nebenbei bemerkt gar kein übles Gefühl ist), begriff ich. Es war geradezu lächerlich einfach.

Ich beugte mich zu Franks Ohr und flüsterte:»Die Diplome. Unsere Facharztdiplome.« Er sah mich völlig verständnislos an. Logischerweise wußte er nicht, wovon ich sprach. Frank ist kein besonderer Fan von Debussy. Zwischen den Fugen von Bach und den Quartetten von Alban Berg gibt es kaum etwas, das seine uneingeschränkte Zustimmung findet.

Deshalb flüsterte ich ungeniert weiter:»Die Geburtsdaten. Auf unseren Diplomen. Sie hängen im Wartezimmer an der Wand. Daher wußte sie die Sternzeichen.«

Frank nickte nur und wandte sich wieder nach vorne. Aber als er mir später an der Garderobe in den Mantel half, sagte er unvermittelt:»Du mußt aufpassen, daß du nicht so säuerlich und selbstgerecht wirst wie die meisten Feministinnen, die in die Jahre kommen.«

»Wie bitte?« war alles, was ich herausbrachte.

»Ich meine nur«, sagte er in versöhnlicherem Ton, »daß ich manchmal den Eindruck habe, daß du es nicht erträgst, wenn andere Frauen mich bewundern. Aus politischen Gründen nicht erträgst. Und dann mußt du alles zergliedern und dekonstruieren.«

Obwohl ich gekränkt war, sah ich die Chance gekommen, über unser Verhältnis zu sprechen. »Ich wußte nicht, daß dich das stört.«

Aber er beendete den Gesprächsversuch gleich mit einem »Ach das tut es auch nicht«, und ging dazu über, auf seine amüsante Art den Dirigenten in der Luft zu zerreißen, dem er vorwarf, eine unerträglich dicke Gefühlssuppe angerührt zu haben.

»Das Produkt eines französischen Schaumschlägers in deutscher Mehlschwitze ertränkt – gräßlich«. Dabei stöhnte er so komisch, daß ich lachen mußte und darüber unsere Meinungsverschiedenheit vergaß.

Am Ende ihrer ersten Arbeitswoche lud mich Henni zu sich zum Essen ein, um sich zu bedanken.

»Und um zu feiern, daß ich wieder Alkohol trinken darf«, sagte sie und schwenkte die leere Packung Trichex.

In der Praxis machte sie sich gut. Sie war pünktlich, kleidete sich manierlich, und die Topfpflanzen verschwanden nicht mehr aus dem Wartezimmer. Zwei davon hatte sie sogar zum Blühen gebracht.

»Ich spreche mit ihnen«, erklärte sie.

Sie hatte damit begonnen, die Sternzeichen der Patientinnen auf den Karteikarten zu vermerken. Ich befürchtete, daß das Frank zur Weißglut treiben würde, aber er sagte nur: »Du weißt doch, was für abstruses Zeug Frauen zusammenspinnen, sobald es um ihren Unterleib geht. Wenn dieses mittelalterliche Brimborium sie beruhigt, soll es mir recht sein.«

Tatsächlich klang jetzt aus dem Warteraum oft Stimmengewirr. Früher hatten die Damen immer beschämt vor sich hingeschwiegen. Schließlich ist einem an diesem Ort immer bewußt, welches die Körperregion ist, die allen Anwesenden Schwierigkeiten bereitet. Aber Henni schien sie von ihrer Verlegenheit zu befreien.

»Sie sind wirklich ein Gewinn, Henni«, sagte ich und prostete ihr zu.

»Oh, ich bin froh, wenn ich helfen kann.« Sie war tatsächlich rot geworden. »Ich habe zu Frau Seethaler gesagt, sie soll ihrem Körper mehr vertrauen. Der weiß schon, was er tut. Wenn sie jetzt schwanger würde, wär das Baby Widder. Na, und sie ist doch Steinbock! Was ist denn Ihr Mann, hab ich sie gefragt. Und was glauben Sie, was sie sagt? Krebs! Na, der wird auch nicht gerade eine große Hilfe sein, sage ich zu ihr. Du liebes Lieschen! Widder und Steinbock, und ein Krebs soll's ausbügeln. Da ist nichts falsch mit Ihrem Körper, wenn er jetzt nicht schwanger wird, habe ich ihr gesagt. Im Gegenteil!«

»Das haben Sie sehr gut gemacht, Henni.«

»Und Frau Schiller meint, man müßte mal eine Studie machen, welche Krankheiten sich bei welchen Sternzeichen häufen. Sie meinte, ob zum Beispiel Ausfluß bei Wasserzeichen häufiger vorkommt. Ich glaube, da denkt sie viel zu oberflächlich. So einfach ist es bestimmt nicht. Was meinen Sie?«

»Ach wissen Sie, Henni«, ich beugte mich tiefer über meinen Teller, »ich glaube eigentlich nicht so recht an diese Dinge. Bei mir selbst stimmt das alles nämlich ganz und gar nicht.«

»Was?« Henni verschluckte sich vor Lachen. »Aber Frau Doktor! Sie sind die typischste Jungfrau, die mir jemals begegnet ist!«

(…)

Die Autorinnen und Autoren

»Waage oder Skorpion, je nachdem, wer die Berechnungen anstellt«, ist so ziemlich das einzige, was über **Andrew Vachss'** *(»Die Macht des Mondes«)* Horoskop in Erfahrung zu bringen ist. Im Jahr 1942 wird der exzentrische Autor in New York geboren. Er wächst dort auf und arbeitet als Leiter einer Anstalt für schwerkriminelle Jugendliche und später als Rechtsanwalt für mißbrauchte Kinder. Zu seinen literarischen Erfolgen gehören ›Shella‹, ›Kata‹, ›Strega‹, ›Blue Bell‹, ›Hard Candy‹, ›Verrat‹ und ›Safe House‹. Literarisch ausgezeichnet wird er mit dem ›Grand Prix de Littérature Policière‹, dem ›Falcon‹ und dem Deutschen Krimipreis. Seine Lebenseinstellung: »I've done the best I can, and I intend to die trying.« (»Ich habe das Beste getan, was ich konnte, und werde das bis zu meinem Tod so halten.«)

Erst beim Schreiben ihres Astrokrimis *»Hundsnächte«* sind **Dagmar Scharsich** die Zusammenhänge zwischen der Konstellation der Planeten zur Geburtsstunde und dem Charakter eines Menschen klargeworden. Seitdem ist die am 1. Juli 1956 um 8.30 Uhr in Magdeburg geborene Krebsfrau offen für die Botschaften der Sterne. Die studierte Kultur- und Theaterwissenschaftlerin veröffentlicht Theaterstücke wie ›Wenn die Smorra geht‹ und ›Radieschen von unten oder Wer kennt Hilli Görler?‹, den Kriminalroman ›Die gefrorene Charlotte‹ und Hörspiele für den NDR und die Deutsche Welle. 1994 wird sie mit dem Brandenburgischen Literatur-Förderpreis ausgezeichnet. Scharsich lebt mit Stiermann und -söhnen in einem kleinen Dorf in Brandenburg.

»Astrologie ist, wenn Stier trotzdem lacht«, kommentiert **Marion Schwarzwälder** die Weisheit der Sterne und illustriert diese These mit ihrem *Astrokrimi »Stierblut«.* Als am 16. Mai 1954 in Villingen im Schwarzwald Geborene studiert sie Ältere und Neuere Deutsche Literatur, macht eine Rhythmikausbildung und spielt in einem Trio das Saxophon. Die Stierfrau verfaßt Erzählungen, Buchbesprechungen, Reise-Essays und Krimis, wie ›Trio Berlin‹ und ›Tod nach Noten‹. Schwarzwälder zieht in ihrem Leben etwa 25mal um und residiert heute in Berlin.

Genau um fünf Uhr morgens kommt **Dietrich Schwanitz** *(»Der Stier in der Mausefalle«)* am 23. April 1940 in Werne an der Lippe zur Welt. Der kleine Stier verlebt seine Kindheit ohne Schulbesuch bei mennonitischen Bergbauern in der Schweiz und besucht später das Gymnasium in Kamen. Er studiert, promoviert und habilitiert in Anglistik und schreibt die Bestseller ›Der Campus‹ und ›Der Zirkel‹ sowie ein Werk über Allgemeinbildung. Schwanitz hat am selben Tag wie Shakespeare Geburtstag, was zunächst zu

einer Identifikation mit dem Barden führt. Um so er-
schrockener ist er, als er erfährt, daß Shakespeare an seinem Geburtstag starb und zwar aller Wahrscheinlichkeit
nach infolge eines Trinkgelages mit Freunden. Seitdem
vermeidet Schwanitz jede Art von Sauferei an seinem Geburtstag und schreibt statt dessen *Astrokrimis,* die sich mit
Shakespeares Horoskop befassen.

Im New York des New Deal kommt am 13. Mai 1937 **Jerome Charyn** (*»Das Auge Gottes«*) zur Welt. Sein Sternzeichen, der Stier, macht ihn hartnäckig und verrückt genug,
um Krimis à la ›Blue Eyes‹, ›Der gute Bulle‹, ›Tödliche Ro-
manze‹, ›Paradise Man‹, ›Marilyn the Wild‹ und ›Maria‹ zu
schreiben. Er erhält den ›Rosenthal Award of the American
Academy and Institute of Arts and Letters‹, den ›National
Endowment for the Arts Award in Fiction‹ und den französischen ›Officier des Arts et des Lettres‹. Charyn lebt und
arbeitet in Paris und in seiner Geburtsstadt. Sein fiktives
New York, angesiedelt in einer nahen Parallelwelt und ge-
segnet mit dem Polizeipräsidenten Isaac Sidel, der zum US-
Präsidenten aufsteigt, ist für manche bereits ein lohnenderes
Reiseziel als das reale Vorbild.

An einem Frühlingsmorgen um 9 Uhr 14 kommt **Maeve
Carels** (*»Mein Freund Herb«*) in Jever zur Welt. Ihr Geburtsdatum 4. Mai 1956 macht sie zu einer Stierfrau und

damit zu einem schweren Fall von Jähzornanfälligkeit. Noch traumatischer allerdings sind für Carels die Erwartungen, die andere aufgrund ihres Sternzeichens an sie stellen: häuslich, praktisch, geduldig, sparsam und zuverlässig zu sein. Carels arbeitet als Sozialarbeiterin, Journalistin, Wahrsagerin (Tarot) und veröffentlicht ›Lieb Töchterlein‹, ›Schneewittchens Unschuld‹ und die mehrbändige ›Geverensand‹-Krimireihe. Die Düsseldorferin mit Aszendent Krebs hält von Astrologie nichts, gibt ein heimliches Liebesverhältnis aber zu.

Als astrologie-skeptischer Zwilling hat **Astrid Paprotta** (*»Der Schuhverkäufer«*) mit der Weisheit der Sterne nicht viel am Hut. Nach dem Abitur studiert sie Psychologie und arbeitet in der Psychiatrie. Heute ist sie Journalistin und Autorin. Sie erhält ein Literaturstipendium Edenkoben und veröffentlicht 1997 ›Der Mond fing an zu tanzen‹ und 1999 ›Mimikry‹.

Die Herausgeberinnen

Ursprünglich als Jungfrau geplant, zieht **Thea Dorn** intuitiv ein doppeltes Feuerzeichen vor und kommt – vier Wochen zu früh – am 23. Juli 1970 in Offenbach zur Welt. Die Löwefrau mit Aszendent Schütze geht nach dem Abitur ins antarktische Südgeorgien, um dort das Verhalten der Kaiserpinguine zu erforschen. Später arbeitet sie als Dozentin für Philosophie an der Freien Universität Berlin und hält Seminare zu Fragen der modernen Ethik und Ästhetik. Sie veröffentlicht die Kriminalromane ›Berliner Aufklärung‹, ›Ringkampf‹ und ›Die Hirnkönigin‹ und erhält den Marlowe. Ihr Theaterstück ›Marleni‹ wird im Januar 2000 in Hamburg uraufgeführt. Nach einem für Feuerzeichen typischen anfänglichen Skeptizismus nähert sich Dorn durch die intensive Arbeit an den *Astrokrimis* der Weisheit der Sterne. »Seit ich weiß, daß fast kein Krimiautor Fische ist, schaue ich bei manchen Menschen genauer hin.«

Als die Sonne am 13. August 1966 über dem Rhein am höchsten steht, erblickt **Uta Glaubitz** in Bad Godesberg das Licht der Welt. Als nicht ganz umgängliche Mischung aus Löwe mit Aszendent Skorpion wächst sie in Köln auf und beginnt, sich für den FC, Kölsch und Karneval zu interessieren. Glaubitz studiert Philosophie, Anglistik und

Chaostheorie und unterstützt heute als Berufsfindungsberaterin andere darin, ihren Traumjob zu finden. Sie gibt Seminare, veranstaltet Konferenzen und veröffentlicht unter anderem den Bestseller ›Der Job, der zu mir paßt‹. Ihr Verhältnis zur Astrologie konzentriert sich vor allem auf die Beschäftigung mit schwierigen Konstellationen. Glaubitz ist der festen Überzeugung, daß man nur lange genug in der Kneipe sitzen muß, um auch die letzten Geheimnisse der Astrologie aufzuklären.

Als Waage mit Aszendent Krebs wird **Lisa Kuppler** am 7. Oktober 1963 im schwäbischen Eßlingen geboren. Während eines vierjährigen USA-Aufenthalts studiert sie amerikanische Geschichte und Literatur und schließt mit einem Magister in amerikanischer Umwelt- und Frauengeschichte ab. Sie entdeckt ihre Liebe zu Hollywoodkino und Populärkultur, zu Trash, Camp und Star Trek. Ihr Mars im Skorpion prädestiniert sie zu einer Karriere im *hard boiled* Krimigeschäft. Sie arbeitet als Lektorin von Krimi-Reihen und widmet sich der Neuübersetzung von Altmeister Mickey Spillane. Kuppler glaubt, daß die Astrologie ein magisches Ordnungssystem der menschlichen Wesensarten ist, das heute durch laienpsychologische Deutungen völlig verwässert wird. Die passionierte Kampfsportlerin lebt in Berlin-Mitte. Daß die nach eigenen Angaben typische Waage sich privat wie beruflich mit Löwefrauen umgibt, schreibt sie einem abstrusen Winkelzug der Astrologie zu.